KB096671

언제나 빛나는 당신의 오늘

ModernBooks

언제나 빛나는 당신의 오늘

발　행 | 2024년 06월 09일
저　자 | 이세원
펴낸곳 | 모던북스
출판사등록 | 2022.10.27.(제2022-144호)
주　소 | 서울특별시 동작구 현충로 220
이메일 | modernbooks_official@naver.com

ISBN | 979-11-93445-14-3

https://modernbooks.co.kr
© Modernbooks 2024
본 책은 저작자의 지적 재산으로서 무단 전재와 복제를 금합니다.

차 례

에세이 #1

추억의 한 장

에세이 #2

함께 자라는 나무

소설

꼬모 해물찜 外 1편

시

스마일 smile 外 26편

기억력

나는 중요한 얘기 말고는 기억을 잘 못한다. 물론 포인트 정도는 알고 있다. 하지만 80% 정도는 기억을 못 한다. 예를 들어 난 편지쓰기를 좋아해 내가 좋아하는 가수에게 자주 보내는 편인데 1~2주 즈음이 지나면 편지 내용의 대부분을 기억하지 못한다.

일본어 공부를 오랜 시간 꾸준히 했음에도 불구하고 많이 늘지 않은 이유도 기억력 때문이다. 기억력은 타고 나는 것 같다. 내가 좋아하는 가수 성시경님이 JLPT 1급을 일 년 반만에 취득했다는 것만 봐도…. 반면 나는 외우고 또 외우고 보고 또 봐도 며칠 지나면 기억이 잘 안 난다. 그래서 봤던 책 또 보고 또 보고 했다. 그래도 지금은 JLPT 5급에서 JLPT 3급책을 보고 있다. 나는 동태찌개도 좋아한다. 얼큰한 국물과 고니를 먹고 있으면 너무 행복하다. 뜨끈한 동태살을 국물에 얹어 먹으면 밥 한 공기는 뚝딱이다. 학창시절부터 지금까지 항상 동태찌개를 좋아했는데, 그와 관련된 추억이 하나도 기억나지 않는다. 하나라도 있을 법한데, 아쉽다.

또 사람 얼굴을 잘 기억하지 못한다. 진짜 미워했던 사람이나 정말 좋아했던 사람 같은 특정 인물의 얼굴은 기억하지만, 한 두 번 본 얼굴은 볼 때마다 '누구였지' 생각하기 바쁘다. 물론 몇 번 더 보면 기억은 한다. 심각하면 정말 미워했던 사람조차 잊는 경우가 있다는데, 난 그정도는 아니니 참으로 다행이다.

내 삶에 일부 기억이 없는 날들이 있다. 임신 6~9개월 때까지 약 4개월간의 기억이 없다. 17년 전에도 엄마에게 전화해 화를 많이 냈다고 하는데, 내가 뭐 때문에 그랬는지 기억이 하나도 없다. 그래서 가끔 슬프다. 현재의 삶과 과거를 연결 짓고 싶은데 되지 않을 때가 종종 있다.

얼마 전 방송인 박소현 님이 조용한 ADHD 때문에 일상생활에 불편함이 있다고 하는 내용의 TV 프로그램을 보았다. 나도 박소현 님만큼 평소 일상 생활에 큰 어려움은 없지만 나도 비슷한 경험을 종종한다. 예를 들어 우산도 나도 가지고 나가면 항상 잃어버리고 오기가 일상이다. 집에 가지고 오는 경우는 10번 중에 3~4번이다.

그렇다고 내가 기억력이 아주 제로인 것은 아니다. 특히 단기 기억은 잘 하는 편인데 일례로 일주일 공부해 네일아트 이론 시험에 합격한 적이 있다. 오래전 추억도 물론 있다. 내가 5살 때 엄마가 나를 업고 병원에 갔던 일이나 7살 때 아빠를 끌어안고 사진 찍던 날들의 기억은 생생하다. 초등학교 5학년 때 영화관에 처음 데리고 갔던 날, 초등학교 3학년 때였나 처음 멕시칸 치킨 사줬던 날… 어린 시절 추억이 고스란히 남아있다.

이렇게 소중한 순간들의 기억을 남기기 위해, 요즘 메모하는 습관을 지녀야겠다고 생각하는 중이다. 다이어리 수첩에다가 말이다. 물론 난 과거에 집착하지 않고 현실에 충실하고 미래를 더 많이 생각하며 산다. 그래도 가끔 과거를 생각하고 싶을 때가 있다. 좋았던 하루의 날짜조차 모르고 있으면 참 아쉬울 것 같다.

아이가 나에게 처음으로 카네이션 브로치를 선물했던 날, 아이가 처음으로 나에게 생일 선물을 준 날 정도는 기억하고 싶다. 이 선물들은 아주 소중하게 내 서랍장 안에 잘 넣어 뒀다.

기억력이 좋지 않지만 그래도 아직 내게 남아 있는 소중한 기억들이 있어서 행복하다. 아마도 최고로 나의 소중한 기억은 아이와의 추억이고, 그다음 신랑, 그리고 성시경, 마왕 신해철이다. 나에겐 이미 소중한 추억이자 기억이고 앞으로 평생 함께할 사람들이다.

심각한 불면증

나는 초등학교 시절 어느날 밤에 잠이 오지 않았던 경험이 있다. 그렇지만 아빠한테 잠이 안 온다고 했더니 1부터 100까지 세우다 보면 잠이 온다는 거다. 그래서 1부터 세우다가 나도 모르게 어느새 잠이 든 경험이 있다. 그래서 그 이후로 성인이 되어서 누군가 잠이 안 온다고 하면 1부터 1000까지 숫자를 세어 보라고 한다.

난 20살 때 심각한 불면증을 가지게 되었다. 며칠 잠을 제대로 못 자다가 어느날은 또 낮에 잠이 들어 깨워도 일어나기 힘들었다. 그리고 깊은 잠에 빠지곤 했다.

그렇게 10년을 불면증을 앓으면서 몸의 상태도 엉망이 되기 쉬웠고 어떤 날은 소화가 잘 안돼서 속이 안 좋기도 했다. 쉽게 피곤해지고 낮에 누워 있는 날도 종종 있었다.

이때 정신과에서 약을 처방받아 먹기도 했으나, 이때 내 생각은 약을 먹으면 내가 좀 부족해 보이는 것 같아서 약을 먹다가 안 먹다가 반복했던 것 같다. 나의 콤플렉스였다.

그러다가 결혼 후 난 아이를 위해 17년 동안 불면증 약을 꾸준히 먹었다. 그래서 밤을 새워본 경험이 17년 동안 5번도 안 된다. 약을 먹는게 콤플렉스였지만 30대엔 그나마 최상의 컨디션으로 아이를 돌보기 위한 필요로 의지하는 친구같은 존재였다.

가끔 하루 정도 약을 안 먹기도 해보았다. 그러나 그게 불가능하다는 것을 체험으로 느낀다. 그날은 꼴딱 밤을 새버리는 거다. 그래서인지 불면증을 가지고 있는 분들의 힘겨움을 너무 잘 안다. 그래도 하루에 3~4시간이라도 자는 분은 그래도 다행이라고 생각한다. 근데 얕은 잠을 자는 데다가 24시간 깨어 있는 사람은 얼마나 힘들겠는가.

최근 서울대 병원이 앱으로 불면증 치료를 시작했다고 한다. 앞으로 여러 방향으로 수면 치료하는 방법들이 나올 테니 자신에게 맞는 방법을 찾아내어 숙면하며 생활할 필요가 있다고 생각한다. 자신에게 맞는 수면제가 있다면 약의 도움을 받아도 충분하다.

불면증에 좋은 음식은 양파, 체리, 바나나, 꿀, 호박씨, 귀리, 호두, 달래, 앵두, 상추 등이 있다. 나는 그래서 고기를 구워 먹을 때 꼭 상추쌈을 먹는 걸 권한다. 바나나도 하루에 한 개 정도 먹으면 고혈압에도 좋고 불면증에도 좋다고 하니 바나나도 많이 접하길 권해드린다.

불면증에 안 좋은 음식은 커피, 콜라, 매운 음식이라고 한다. 나도 매운 음식을 싫어하는 건 아니지만 그렇다고 좋아하는 것도 아니기에 굳이 일부러 매운 음식을 찾아서 먹지는 않는다.

그러나 커피는 하루에 2~3잔 마시며 콜라는 아주 가끔 한 병 사다가 마실 때가 있다. 가끔 탄산이 당긴다. 지금은 맛이 없다고 생각했던 탄산수를 너무 좋아한다.

사람들이 수면제 처방받는 것조차 조금 거리감을 두는 경우가 있다. 그러나 예전에 정신과라는 명칭에서 정신 건강 의학과 라고 명칭이 바뀌었다. 혹시라도 불면증 때문에 너무 힘들거나 일상생활에 지장을 준다면 약의 도움을 받는 걸 적극 권해드린다. 다른 사람의 눈의 시선을 신경 쓰지 않았으면 한다. 내 일상이 중요하지 다른 사람의 시선이 중요한 게 아니기 때문이다. 수면제에도 여러 가지 종류가 있기 때문에 자신에게 잘 맞는 수면제를 먹는 게 중요하다.

어떤 수면제는 갑자기 확 잠이 들어버리는 약이 있는데 이 약은 권해 드리지 않는다. 누가 흔들어 깨었을 때도 잠에 취해 일어나기가 힘들다는 거다. 일정 시간이 지나야 정신이 든다.

그래서 천천히 잠이 오고, 잠이 들었다가 누가 깨어도 바로 깰 수 있는 수면제를 권해드린다.

전문의 의사와 상담 후 약을 잘 처방받는 것도 중요하다. 잠을 잘 못 주무시는 여러분들이 예쁜 꿈 꾸며 푹 자는 그날들을 응원하는 바이다.

친구가 없어도 좋다

친구가 없으면 불행하다고 여기는 사람들이 많다. 과연 그럴까? 나는 예전에는 그렇게 생각했었는데 지금은 그 생각이 바뀌었다.

나는 지금 친구가 없다. 물론 학창 시절 친구는 있다. 그런데 지금 연락하고 만나는 친구는 하나도 없다. 사실 나는 가끔 심심할 때도 있고 외롭다 느낄 때도 있지만 그게 친구가 없어서 그렇다고 생각하지 않는다. 내가 일부러 그나마 연락하던 동네 아줌마들 마저 전화번호를 바꾸면서 연락을 다 끊어 버렸다. 만나면 스트레스로 인해 내 삶의 쓸데없는 영향을 주는 게 싫었기 때문이다 그 대신 난 오롯이 편안한 마음으로 집에서 외국어 공부도 하고, 종종 일도 하고, 성시경님 팬 활동도 하면서 행복한 시간을 보내고 있다. 오히려 있을 때보다 없을 때가 더 좋단 생각을 하고 있다. 할 이야기가 있으면 글로 표현하고 싶었고 말로 떠들어 에너지를 낭비하고 스트레스를 받고 싶지가 않았다. 그래서 주위 아줌마들과의 추억이 거의 없다. 어쩌면 그래서 더 가족에 대해 관심을 가지게 되고 내가 좋아하는 성시경님에게 더 집중하는 이유일 수도 있다. 내가 여기서 말하는 친구란 같이 만나서 차 한 잔 마시고 수다 떨고 그리고 같이 밥도 먹고 술도 마시는 친구를 말한다. 나는 지금 내가 내 돈으로 밥을 사주고 싶은 친구가 한 명도 없으며 또 나에게 밥을 사줄 친구도 없다. 학창 시절 친구는 내가 멀리 이사 오는 바람에 안 만난 지 5년 이상이 지났으며 친구라고 하기에도 지금은 어색한 타인일 뿐이다.

나는 오롯이 내 시간을 갖는 시간을 좋아한다. 밤에 가게에서 술을 마시는 분위기를 지금은 그다지 좋아하지 않으며 오히려 낮에 브런치를 먹는 걸 좋아한다.

나에게 문제가 있거나 성격이 이상해서 친구가 없는 건 아닌 것 같다. 나의 선택일 뿐이다. 친구를 만들 수도 있겠지만 나이를 먹어감에 따라 사람을 사귀는 기준이 좀 더 까다로워진 것 같다. 나는 다른 사람이 나에게 뭔가를 부탁하는 것을 좋아하지 않는다. 더군다나 들어주기 힘든 부탁을 하는 사람을 너무 싫어한다. 내가 도와주고 싶어서 도와주는 것과는 조금 다른 결이다. 그리고 돈을 빌려 달라고 하는 사람을 곁에 두지 않는다. 불편하다.

나는 일정의 생활비를 타서 쓰고 모든 금전적 관리는 신랑이 알아서 한다. 난 돈에 욕심도 없고 이게 편하다. 10년 전쯤 내가 돈이 있는 줄 알고 고모가 돈을 빌려 달라는 거다. 돈이 없다고 했더니 신랑 돈도 네 돈 아니냐며 말하는데 참 기가 찼다. 돈 빌려줘야 하는 게 당연한 듯 얘기하는 고모가 나는 너무나도 불편했고 싫었다. 그 뒤로 전화번호를 바꾸고 나서는 연락을 끊어버렸다. 그 뒤로도 잊을만하면 몇 년에 한 번씩 연락이 왔고 또 얼마 전에도 연락이 왔으나 나는 연락하지 않았으면 좋겠다고 단호하게 말해버렸다. 난 가족이라 해도 나를 불편하게 하면 차단해 버린다.

며칠 전 탤런트 고현정님의 유튜브 영상을 보았다. 고현정 님은 아주 아프고 난 후 사람들을 만나지 않고 지내다가 이젠 사람들이 불러주면 약속하고 그 자리에 나간다고 했다.

문득 나를 돌아보았다. 나도 사람들을 만나지 않는다. 집에서 글을 쓰고 공부를 하고 요리를 하고 이렇게 지내고 있다. 난 사실 사람들을 만나는 것보다 이게 너무 행복하고 좋다.

나는 사람들과 소통을 아예 끊고 사는건 아니다. 같이 책을 쓰는 사람들과 모여 소통하며 책도 쓰고, 그리고 함께 모여 노래를 가지는 시간도 가지고, 가수와의 소통, 등등 이렇게 개인적인 사담은 하지 않고 공통된 주제로 만나고는 있다.

친구가 없으니 그만큼 남들과 비교하지도 않고 오롯이 나의 꿈, 나의 생각, 나를 위해 시간을 쓸 수 있어서 좋다. 나는 동네 아줌마들이랑 만나서 수다 떨 시간에 차라리 그 시간에 집 청소를 하는 게 낫다고 생각한다. 나는 남에게 피해를 주는 것도 싫고 누가 나에게 해를 주는 것도 싫다. 그렇다고 사람들의 인연이 다 의미가 없다고 생각하진 않는다. 좋은 사람들도 많고 직접적으로 소통하며 마음을 나누는 것도 의미가 있다. 마트에 일하는 언니가 있는데 이 언니는 내가 친해져도 좋단 생각이 들 정도로 괜찮은 것 같다. 남에게 피해를 주지 않고 자기 일을 열심히 하는 사람이다. 그래서 좋다. 그런데 언니가 바쁘니까 내가 자주 연락을 하진 않는다. 살다 보면 좋은 사람도 있다.

나는 앞에서도 한번 언급 했듯이 12살 때 새엄마와 살게 되었다. 그런데 연락을 끊은지 2년이 조금 넘었다. 이유는 2년 전에 1시간의 전화 통화에서 돈 얘기만 하고 나를 생각하는 마음은 조금도 없고 본인 생각만 하는 모습에서 난 엄청난 스트레스를 받았다. 일주일 동안 목덜미가 아팠다. 난 이 사람하고는 연락을 끊어야겠다고 생각했다. 난 20살 때 우울증 증세가 찾아왔었다. 아마도 학창 시절 새엄마의 잔소리로 아주 많은 스트레스를 받았고 자존감도 많이 떨어진 상태였다. 그러나 나는 천성이 긍정적인 편이었던지 우울증 증세는 사회생활을 하면서 금세 사라졌다.

지금은 친엄마와 연락이 닿아 연락하고 지낸다. 난 친엄마와는 내 속마음까지 다 털어놓을 수가 있어서 너무 편하고 좋다. 늘 자식을 생각해서 얘기를 해준다. 엄마랑 통화할 때 행복하고 엄마의 따뜻함을 느낄 수 있어서 너무 좋다.

나는 정말 답답하거나 마음이 힘들땐 엄마에게 전화한다. 가끔 엄마가 전화를 안 받을 때가 있어서 답답하지만 그래도 괜찮다.

나에겐 서로 잘 모르는 타인보다 정말 나를 생각해 주는 내가 생각하는 친구가 있다. 내게 너무 소중한 엄마와 아들이다. 그래서인지 비록 지금 만나는 친구가 없다고 해도 나는 든든하다. 그리고 생각보다 그리 많이 외롭지도 않다. 행복하게 지낼만하다.

아니 어쩌면 내가 지금 이렇게 행복한 것도 사람들과 어울리지 않고 오롯이 내 가정 안에서 집중하기 때문이 아닐까 한다. 여러분들도 자신만의 행복의 기준을 찾길 바란다.

내가 잘할 수 있는 일을 찾자

유튜브를 보다가 이런 영상을 보게 되었다. 좋아하는 일은 제일 마지막에 찾고 잘할 수 있는 일을 찾자고…. 그런데 정말 잘할 수 있는 데까지는 시간이 걸린다는 거였다. 나는 영어 공부를 하고 영어 쪽으로 일을 찾고 이쪽으로 봉사 활동을 해야겠다고 마음 먹었다. 올해 내 진로를 방향을 틀어버린 것이다. 상담 심리학을 공부하던 중 심리적으로 나는 너무 힘들어서 이 공부를 중단하게 되었다. 상담 심리학 리포트를 쓰다가 펑펑 울기도 했다. 난 2년의 공백 기간을 가진 후 올해 다시 영어 쪽으로 내 미래의 방향을 틀었다.

24년 유튜브 뱀띠 운세를 보니까 이직하는 경우가 있으나 대운이 온다고 이야기했다. 올해 운이 트인다는 거다. 새해부터 신랑은 일이 없어서 어떻해야 할지 집에 있으면서 고민을 하기 시작했다. 나한테도 영향이 왔다. 잦은 쇼핑이 이젠 꼭 필요하지 않으면 안 한 지 며칠이 되었고 마트 장도 일주일에 2~3번으로 줄었다. 쿠팡에서 식재료를 다량으로 사던 내가 냉장고를 비우기 시작했다. 있는 식재료를 비우고 없으면 마트장을 딱 먹을 것만 시키자고 다짐한 것이다. 내가 그토록 최소주의 생활을 실천하겠다고 외치던 날이 본격적으로 시작하게 된 것이다. 나는 최소주의 생활과 더불어 일을 하자고 마음을 먹고 계속 알바앱에서 일자리를 찾고 있었다. 내일이 면접 날이다. 물론 면접에서 떨어지더라도 이후에 오롯이 영어 공부에 매진하고 있을 테다. 또 다른 기회가 온다면 잡기 위해서…만약 면접에서 합격하면 올해는 일을 시작할 것이며 공부에 매진할 것이다. 딱 2년만 참고 열심히 달려보려고 한다. 평소 면접보러 갈 때 화장도 안 하고 갔던 내가 내일은 화장을 하고 갈 생각이다. 아마도 난 내일 면접보는 곳에서 꼭 일을 하고 싶은 모양인지 벌써부터 월급 받으면 얼마를 저축해 돈을 모아 뭘 할지 상상하고 있다. 행복한 상상이다. 소형 아파트를 사게 될지, 아니면 아들이랑 한달 미국 살기를 해볼까 이런저런 상상만으로도 너무 행복하다.

나는 늘 일을 해도 너무 행복했고, 일을 하지 않고 집에서 모든 시간을 나를 위해 쓰는 것도 행복했다. 그리고 지금 책을 출간하기 위해 이렇게 내 이야기를 쓰는 시간이 너무너무 행복하다. 얘기를 원점으로 돌아와서 다시 시작하겠다. 좋아하는 일을 맨 마지막에 찾으란 말을 나는 이해했고 잘 할 수 있는 일을 먼저 찾으라고 했다. 그래 나는 학창 시절부터 영어를 좋아했고 영어를 늘 해야겠다고 20대 때부터 책을 사서 공부를 하곤 했다. 30대 때는 육아를 오롯이 나 혼자 도맡아 하느라 나를 위해 시간을 투자 하며 못살았는데 아쉬움이 많이 남는다. 짬짬이 공부도 할걸 그런 생각이 드는 것이다. 그래도 40대 때는 나를 위해 시간을 쓰기 시작했다. 올해부터는 정말 나를 위해 시간을 오롯이 쓸 예정이며 내가 잘 할 수 있는 일이 정점에 오르기 위해서는 시간이 걸린다는 것도 인지했다. 그래 내가 부족하긴 하지만 나는 1년이 지날수록 나의 실력은 잘하는 사람으로 변해 있을 것이며 나도 내가 원하는 것을 이루는 사람이 될 거라고 다짐한다. 그리고 나는 내가 하는 영어가 제일 좋아하는 일이 될 것이다. 나의 또 다른 목표는 아이의 꿈을 이루도록 금전적으로나 심리적으로 지지할 것이다. 그리고 나는 내가 하고자 하는 일을 다 해볼 것이다.

내가 요지를 다시 정리하자면 잘할 수 있는 일, 돈이 되는 일, 사회에 도움이 되는 일을 먼저 찾고 제일 마지막에 좋아하는 일을 찾는 것이라고 어떤 유튜버는 이야기했다.

내가 내일 하고자 하는 일은 돈이 되는 일, 사회에 도움이 되는 일이다. 그리고 잘할 수 있는 일이 되기까지는 조금 시간이 걸릴 것 같지만 잘 할 수 있을 것 같다. 그리고 좋아하는 일이다. 진짜 이보다 더 좋은 일이 있을까? 난 왜 그동안 하려고 노력하지 않았고 잡으려고 하지 않았는지 아쉬움이 남는다. 지금부터라도 하고자 하는 일의 여정을 떠나려고 한다.

내가 좋아하는 것과 싫어하는 것

나는 바다를 보는 것을 좋아한다. 아마도 고등학교 2학년 때 수학여행을 제주도로 가서 제주도에 반한 것도 그 맑고 깨끗한 바다에 반해서이다. 바다 색깔이 어쩜 그렇게도 청명하고 예쁘든지 그리고 두 번째로 좋아하는 바다는 부산 바다와 강릉 경포대 바다 순으로 좋아한다.

내가 살고 있는 서해는 물이 그렇게 깨끗하지 않고 청명한 바다 색깔을 볼 수가 없었다. 많이 오염되기도 하였고… 난 울산에 바닷가가 있는 일산지 라는 동네에서 태어났고 거제도에서 자랐다. 그리고 지금은 바다가 있는 곳에서 살고 있다. 이상하게도 바다는 내가 태어날 때부터 인연이 있는지 내 삶에 항상 옆에 있는 것 같다. 나는 어릴적부터 하늘을 날아다니는 꿈을 자주 꾸곤 했다. 날아다닐 때의 그 기분은 너무 좋다. 그리고 요즘은 예지몽인지 꿈을 자주 꾼다. 그리고 꿈꿀 때마다 다음 포털에서 꿈해석을 검색해 보곤 하는데, 오늘 꿈자리가 너무 좋다. 난 꿈의 예지를 조금 믿고 있으며 좋은 꿈이면 기분이 참 좋고 왠지 내가 하는 것들이 잘 풀리고 잘될 것 같은 기대에 부풀어 오른다. 오늘 꾼 꿈도 물속에서 헤엄쳐 나오는 꿈을 꿨다. 근데 내 휴대전화가 물에 잠긴거다. 이건 아마도 핸드폰을 멀리하고 내가 가야 할길을 가면 좋은 일이 생긴다는 예지인 듯하다. 요즘 폰을 너무 들여다보는 것 같아서 고민했었는데 이젠 폰을 조금 멀리 해야 겠다. 내가 좋아하는 것은 또 햇살이다. 비나 눈은 좋아하지 않지만, 맑은 햇살을 보고 있으면 기분이 너무 좋아진다. 그리고 난 봄과 가을을 좋아한다. 여름과 겨울은 거의 밖에 나가지 않고 에어컨과 보일러를 의존해 주로 집에 있는다.

나는 빨간 장미꽃을 좋아하며 좋아하는 색깔은 연두색과 민트색이다. 하늘색, 분홍색도 좋아한다. 그러나 나는 모든 색깔을 다양하게 옆에 두는 걸 좋아하는데 올해 내 행운의 색깔은 연보라, 짙은 보라, 보라색이라고 한다. 보라색도 참 좋아한다. 어쩌면 나는 이 세상에 존재하는 모든 색깔을 참 좋아하는 것 같다. 그래서 어릴 때부터 크레파스를 좋아했고 색연필을 좋아했다. 7살 때 색칠 공부 책을 사주면 그렇게 행복했던 기억이 남아 있다. 지금도 색연필, 싸이펜, 칠판펜 등 여러 가지 펜들이 집에 있으며 난 종종 종이에다가 다양한 색깔로 글을 쓰는 걸 좋아한다. 나는 초등학교 때는 치마 입는 걸 좋아했는데 결혼 후엔 오로지 바지만 입는 편이다. 지금은 치마가 없다. 종종 편한 긴 원피스를 사기도 하는데 세탁하면 잘 구겨지는 옷감이라 종종 그냥 수거함에 버리기도 한다. 한마디로 잘못 산 거다. 싼 게 비지떡이라고 할인 많이 한다고 좋아서 샀는데 말이다. 사서 입고 세탁하다 보면 구김이 너무 많아 세탁소에 맞기거나 다림질을 해야 한다. 나는 다림질은 집에서 하지 않으니 그냥 세탁소에 맞기느니 안 입고 만다.

스팀 다림기를 산적은 있는데 한 번도 사용하지 않고 분리 수거함에 가져다 버린 적이 있다. 그 뒤론 두 번 다시 다림기는 안 사며 아예 애초부터 다림질이 필요 없는 옷만 산다. 지금은 누구에게 예뻐 보이려고 옷을 사는 게 아니라 여름엔 시원하고 겨울엔 따뜻한 제일 편한 옷을 고른다. 그러나 내가 옷을 고를 때 고려하는 것은 옷 색깔이다. 내가 아주 좋아하는 색이 아니라도 나는 다양한 색깔의 옷을 고르는 편이며 그 색깔들을 옷을 입을 때마다 즐긴다.

내가 좋아하는 사람의 종류는 솔직하고 꾸밈이 없는 걸 좋아한다. 가식적인 사람을 싫어한다. 얼굴 또한 성형하고 고치는 걸 싫어하며 그리고 문신하는 걸 진짜 싫어한다. 그리고 나는 흑백사진을 싫어한다. 흑백사진이 꼭 존재하지 않는 사람의 사진 같아서 싫다. 난 색감이 있는 컬러 사진을 좋아하며 그리고 꾸밈이 없는 사진을 좋아한다. 화장 진하게 하고 화려한 걸 싫어하며 난 단아하고 수수한걸 좋아한다. 그래서인지 나의 본보기가 탤런트 고현정 님이 된 것 같다. 왠지 고현정 님에게 풍기는 느낌이 너무 평온하고 지성이 있어 보이고 예쁘고 고상해 보여 좋다. 그리고 꾸밈이 없고 솔직해서 좋다. 나도 이런 느낌의 여자가 되고 싶단 생각을 하곤 한다. 나는 시끄럽고 소란스러운 사람을 싫어하며 조용하고 차분한 사람을 좋아한다. 연예인이든 일반인이든 그 누구도 마찬가지다. 여자든 남자든 똑같다. 나는 오지랖 넓은 사람을 싫어하며 설치는 사람을 싫어한다. 조금은 절제를 할줄 알고 심리 통제를 잘하는 사람을 너무 좋아한다. 그리고 도가 지나친 사람을 아주 싫어한다. 남의 눈을 의식하며 살 필요까진 없다고 생각하지만 남에게 스트레스를 주면서까지 남을 의식하지 않고 본인 할말 다하는 오지랖 넓은 사람도 없어져야 한다고 생각한다.

나는 어쩌면 보수적인 사람이다. 진짜 하지 말아야 할 도덕에 어긋나는 행동은 하지 않으며 규칙과 원칙을 존중하는 사람이다. 남에게 피해를 주는 것을 싫어하며 나를 해롭게 하는 사람도 용서하지 않는 사람이다. 용서와 자비는 신들이 베푸는 거로 생각한다. 물론 좋은 사람들에게는 베풀 수 있는 거로 생각한다. 그것과는 다른 결이다.

23년 12월 30일 성시경 콘서트

23년 12월 30일, 아침부터 눈이 펑펑 오기 시작했다. 그렇지만 나는 날씨에 개의치 않고 공연을 보러 가겠다고 결정했다. 서울에 도착하자 눈은 많이 쌓여있었고 역시 눈은 펑펑 오고 있었다. 난 우산을 쓰고 터미널 인근에서 콩나물국밥을 먹고 공연장으로 출발했다. 공연장은 올림픽 체조 경기장에서 하는데 터미널 역에서 공연장까지는 40분 정도의 거리였다.

난 공연 시간보다 4시간 빨리 2시경에 공연장 있는 역에 도착했다. 공연장으로 가기 전 입구쪽 커피숍에서 커피를 시켜 나름 힐링하면서 핸드폰으로 이것저것 보고 있었다. 시간은 생각보다 빨리 갔고 3시 30분경 커피숍을 나와 공연장 팬 대기실에 도착했다. 난로가 있었고 생각보다 하나도 춥지 않았다. 나는 시경 님 팬분에게 오후 4시에 표를 양도받기로 해서 기다리고 있었다. 4시경 팬분한테 전화가 와서 대기실 앞에서 표를 양도받고 시경 님 모습들이 담긴 24년도 달력과 양말, 빵, 그리고 사탕과 초콜릿을 선물 받았다.

나는 미리 챙겨둔 비타500과 초콜릿 그리고 단백질 셰이크 음료를 포장해서 드렸다. 나도 감사의 표시였다.

그리고 나는 응원용 봉을 사서 오후 4시 반에 공연장으로 들어갔다. 공연장 안은 따뜻했다. 이상하게도 내 두 볼은 들어서서 얼마 지나지 않아 열이 났다. 추운 데 있다가 따뜻한데 들어와서 그런가 평소 내게서 일어나지 않는 일이었다. 난 자리를 쉽게 찾아 앉아서 짐 정리를 시작했다. 생각보다 짐이 많았다. 내 핸드백 가방과 그리고 연보라색 여행 가방이 있어서 가방을 발 아래 쪽에 두고 패딩점퍼도 벗어서 의자 뒤쪽에 두었다.

무대 아래 전체를 가리고 있는 원형 스크린에는 시경 님 여기어때 광고가 나오기도 했다. 나는 핸드폰으로 무대 사진을 찍었다. 공연 중엔 촬영금지라 나는 핸드폰을 무음으로 하고 가방에 넣고 꺼낼 생각도 안할거지만, 무대 모습은 추억으로 남겨두고 싶었다.

시간은 흘러 드디어 공연 시간 6시가 되었다. 그러나 눈이 많이 내린데다 입장이 지연되어 6시 15분이 되어 공연이 시작되었다.

원형 스크린은 천장 쪽으로 올라갔고 팝콘이란 노래 반주가 흘러나오자, 시경님은 팬 자리 뒤쪽 입구에서 나오시며 노래를 시작하셨다. 원형 스크린은 우주선 은하계가 떠오르는 듯한 모양을 하고 있었다. 신비스러운 느낌이 가득했다. 그리고 팝콘이란 노래는 나 혼자만의 추억이 담긴 노래다. 39평 아파트에서 살 때 혼자 안주를 만들어 술 한잔 기울이며 듣던 음악이었다. 혼자 오롯이 힐링하던 노래였다. 내가 좋아하게 된 노래다. 팝콘이란 노래가 흘러나오자 추억이 떠오르고 내가 좋아하는 노래가 첫 곡이라 그냥 감동적이었다. 난 뒷자리 쪽을 쳐다보았다. 시경 님이 내 자리 쪽으로 내려오시며 노래를 하셔서 조금 놀래면서도 기분이 너무 좋았고 심장은 또 쿵쿵 뛰고 얼굴은 더 열이 펄펄 났다. 미쳐 나는 핸드폰을 꺼내지도 않은 상황이어서 뒤늦게 가방을 뒤져 겨우 내 옆으로 지나가는 찰나 뒷모습만 한 장 찍었다.

나는 버스 시간 때문에 공연을 다 못 보고 갈 예정이었다. 비록 얼굴도 나오지 않은 뒷모습 사진이지만 나에겐 너무나도 소중한 사진이었다. 갑자기 머릿속이 하얘졌다. 얼굴에선 왜 이렇게 열이 나던지 난 볼을 한 번씩 손으로 만져보았다. 노래는 계속 이어졌고 who do you love 노래를 또 불러 주시는데 팬들과 함께 율동하며 소통하는 모습이 역시 프로시구나! 잘한다는 생각이 들었다. 참 어려우실 텐데 팬들에게 잘 가르쳐주고 팬들은 또 어쩜 그리 가르쳐준 대로 노래도 잘하고 율동도 잘하는지 놀라웠다. 꼭 미리 연습해 온 것처럼….

이어서 김종서 님의 무대가 끝나고 시경 님의 노래를 부르고 계실 때 나는 생각보다 조금 일찍 공연장에서 나왔다. 공연장 들어가는 입구문을 열고 나오자, 시경님의 노랫소리는 계속 들렸다. 그러다 부를 타이밍에 한박자 쉬는 것까지 다 들렸다. 난 화장실을 들렀다가 눈길을 걸어 터미널 역으로 향했다. 오는 내내 공연을 다 못 보고 나온 미안함과 아쉬움이 너무 컸다. 공연을 보고 오는 날이면 난 정말 서울에서 살고 싶다는 생각이 너무 많이 든다. 그런데 난 지금 사는 지방이 살기에는 더 좋은 것 같다. 조용하고 내가 필요한 것이 집 주위에 다 있으므로 편하다. 목욕탕, 은행, 마트, 우체국 등이 주위에 다 있으니까….

21년 6월 초부터 팬 활동을 시작하게 되었는데, 그와 나와의 인연은 조금 어려움도 있었지만 지금은 평생 팬 활동하면서 응원하고 지지해야겠다고 생각하고 있다. 그의 음악은 내 삶의 안식처가 되어주고 그의 부지런함은 내 삶에 자극이 되어 준다.

공연 며칠 전날 갈지 말지 고민을 많이 했는데 시경 님 공연은 안 보면 후회될 뻔한 공연만 하신다. 공연을 보고 오면 가길 정말 잘했단 생각이 들고 진짜 날씨가 어떻든 공연은 꼭 가야겠단 생각을 하게 만든다. 내가 좋아하는 곡들로 꽉꽉 채워져서 너무 행복했다.

시경 님은 정말 이미 정말 나에겐 언제나 탑이다. 너무 멋진 분.

미니멀 라이프

나는 19년도 1월부터 24년 1월 지금까지 5년 동안 내가 가지고 있는 가구와 물건들을 정리했다. 34평 아파트에는 정말 옷, 가전제품, 가구, 생활용품, 책 등등 너무나도 넘쳐나는 물건들 때문에 정신이 없었다. 뭐가 없어져도 잘 모를 정도였고 누가 준 물건이 안 보이면 기억력에 취약한 나는 안 받았다고 생각하기도 했다. 예전 살던 아파트는 일요일만 분리수거한다. 그래서 나는 일요일이 오길 기다렸다가 조금씩 필요 없거나 안 쓰는 물건들을 내다 놓기 시작했다. 꾸준히 2년 6개월 정도 정리를 했다. 컴퓨터 책상 2개, 중고 장롱, 커피추출기, 큰책장 2개, 피아노, 모두 모두 다른 사람 주거나 버리고 우린 21년 7월 이사를 하게 된다.

태어나서 처음으로 39평 아파트에 살게 되었고 넓은 집을 전월세로 생활했다. 오래 있을 집은 아니었기에 우린 그냥 있는 동안은 넓은 아파트에 사는 걸 즐겼다. 그러다 딱 10개월 살다가 집주인이 자기네가 이사 와서 살고 싶다고 해서 우린 가까운 곳에 20평짜리 아파트를 사게 되었다. 나는 넓은 집이 사실 많이 부담되던 터에

평수는 작았지만 내 이름으로 된 소형 아파트를 사게 되어 기분이 좋았다. 단지 여름에 천정에서 비가 조금씩 샌다. 싼 게 비지떡이라고 저렴하게 아파트를 사게 되어 좋다고 생각했는데 이점이 조금 아쉬웠다. 내 후년에 이 집을 팔고 이사를 가야 하나 그런 생각도 들지만 난 솔직히 넓은 집이 필요가 없다. 나는 책읽고 노트북으로 글을 쓸 수 있는 책상 하나만 있으면 되고 몸을 뉘일수 있는 잠자리와 책을 꽂을수 있는 책장, 그리고 요리할 수 있는 공간만 있으면 된다. 특별한 요리를 즐길 수 있는 오븐과 에어프라이어기도 있고 또 최신형 전자레인지도 있다. 남 부러워질 게 나는 정말 하나도 없다. 있는 옷도 정말 딱 입을 옷만 여러 벌놔두고 안 입는 옷은 전부 옷 수거함에 넣어 버렸다. 옷이 몇벌 없으니 옷찾기도 너무 쉽고 사실상 내가 생활하는데 옷이 많이 필요 없었다는것도 몸소 깨닫게 되었다. 나는 물건을 정말 대대적으로 확 줄이고 정리하면서 24년 1월이 되면서 마인드와 현재 생활도 확 바꾸었다. 휴대전화기 요금도 최저 요금으로 바꾸었고 컬러링 부가서비스도 모두 해지했다. 4월이 되면 알뜰 요금제로 바꿀 예정이다. 그리고 배달음식을 하루가 멀다고 시켜 먹던 내가 24년이 되면서 배달 음식을 뚝 끊어버렸다. 외식도 특별한 날 말고는 집밥을 해먹는다. 갑진년이 되면서 물건만 정리하는 게 아니라 돈 씀씀이도 최소주의 생활을 실천하려고 바꾸고 변경하고 수정하며 돈을 조금씩 모으는 중이다.

신용카드 3장에서 작년 말에 2장을 없애고 24년 1월 들어와서 나머지 1장도 카드를 없애 버렸다. 아직 1장은 할부가 남아있다. 이

것은 차차 갚을 예정이고 이제부터 체크카드로 생활할 생각이다. 식비도 일주일 15만 원으로 정했고 15만 원 안에 외식비도 포함되어 있다.

제일 중요한 것은 쇼핑을 꼭 필요한 물건이 아니면 안한다는 것이다. 예전에는 갖고 싶은 게 있으면 쇼핑했는데 지금은 없으면 안 될 물건이 있을 때만 한다. 그러니 갑진년이 되고부터는 쇼핑 구입한 목록이 조용하다. 예전엔 돈을 쓸 때 생각없이 쓴 것 같다. 그런데 지금은 계산기를 두들겨 계산을 먼저 한다. 얼마가 고정 지출이고 나머지 안 쓰면 얼마가 모이는지 이 돈은 어떻게 쓸 예정이며 어떻게 모을 건지 계획을 했다. 내가 그동안 돈이 안 모인 이유가 돈을 너무 생각 없이 막 써서였다. 참 돈 쓸줄 몰랐네 생각이 들어 조금 아쉬움이 남는다. 올해 부터라도 정말 꼭 필요한 곳에만 돈을 쓸 예정이며 남들이 보면 나도 짠순이란 소릴 듣게 되겠구나라고 생각이 들지만 뭐 괜찮다. 마음만은 부자가 되어 너무 행복하고 평온한 삶을 살게 될 테니까 말이다. 최소주의 생활을 하도록 늘 멘토가 되어주시는 분이 있다. 바로 뿌미맘 가계부 저자 뿌미맘님이다. 유튜브와 인스타그램에서 소통을 하고 있고 그리고 뿌미맘 가계부를 구입해 올해도 열심히 기록중이다. 여기서 늘 감사하단 말을 전한다.

함께 자라는 나무

게임 좀 그만 하라니까 왜 그렇게 게임만 하냐고 얘기하자 사랑이는 벌컥 언성을 높여 무슨 상관이야 씨라고 내뱉으며 아악 하며 소리를 고래고래 질러댔다. 엄마인 나는 아이의 행동에 화가 났다. 문을 '쾅' 하고 닫으며 방으로 들어간 아이를 따라갔다. 내가 작대기를 흔들며 너 말 똑바로 못해? 소리를 왜 질러대냐고 이야기하자 거실로 나가버렸다. 집 나간다며 옷을 주섬주섬 잡은 아이 앞에서 다시 한 번 작대기를 흔들었다. 어디 가는 거냐고 묻자 아이는 작대기를 탁 잡으면서 눈가에 하얀 액체가 고였다. 난 갑자기 마음이 저릿해지면서 아무 말도 못하고 옷을 다 입고 집을 나가는 아이의 뒷모습만 쳐다 보았다.

나는 중학교 시절에 소극적이고 내성적인 아이였다. 부모님이 하지 말라는 건 절대 하지 않았고, 선생님의 말씀도 잘 따랐다. 음주나 흡연 등 선생님이 하지 말라고 하는 건 안 했다. 심지어 엄마가 라면은 몸에 안 좋으니까 끓여 먹지 말라고 해서 학창 시절에 순수 내가 끓여 먹은 건 딱 한 번이 고작이었다. 나에게 라면을 싫어하냐고 묻는다면 그런 것도 아니었다. 라면을 못 먹으면 생각날 만큼 좋아하는 것도 아니었다. 그렇다고 그 맛있는 라면을 싫어 할 이유는 없었다. 학교에서 나는 성적은 중간 정도였다. 중 3이 되었을 때 나는 내신 성적이 중간에서 약간 하위였다. 성적이 생각보다 좋지 않아서 내 의사와 상관없이 엄마와 선생님의 결정으로 상업 고등학교에 진학하게 되었다. 그렇게 내가 가고 싶었던 인문계 고등학교를 못 가자 나는 조금 마음이 축 처졌다. 그리고 자존감이 떨어졌다. 고등학교 1학년 때 갈등을 겪기 시작했다.

방송작가가 꿈이었던 나는 내가 가고 싶은 진로를 향해 달려갈 수 없는 것 같아서 상실감에 빠졌다.

어느 날 여름 친하게 지내던 단짝 친구에게 오늘 너희 집에서 자도 되냐고 물었다. 친구는 무슨 일 있냐고 물었다. 나는 그냥 너희 집에서 한번 자고 싶다고 이야기 했다. 친구는 별 거부감 없이 그러고 싶으면 우리집에 오라고 승낙했다. 친구의 집에서 함께 하면서 그렇게 이틀 밤을 함께 했다. 밤 늦게까지 누워서 서로 좋아하는 가수에 관해서도 이야기 했다.

그렇게 이틀 밤 친구 집에서 자고 셋째 날엔 집에 들어가야지 하고 생각하고 있었는데 담임 선생님께서 나를 상담실로 부르셨다. 엄마가 찾아왔다면서 집에 안 들어갔다고 하던데 하면서 말끝을 흐리셨다. 나는 오늘은 들어가려고 했다고 하고 별문제 없으니 걱정 안하셔도 된다고 했다. 선생님은 그래도 학교는 나와서 다행이라고 하면서 나를 그냥 교실로 올라가라고 했다. 그렇게 나는 평소와 다름없이 학교 생활을 이어갔고 겨울방학이 다가왔다.

난 중학교 때부터 좋아하던 가수가 있었다. 중학교 1학년 때 TV에서 나오는 그의 노래하는 모습과 허리춤에 반해서 고등학교가 되어서도 가슴앓이를 하고 있던 터였다. 마침 겨울방학이 끝나가는 2월에 그의 콘서트 소식이 있었다. 나는 서울에 작은 고모가 살고 있었다. 나는 고모집에서 하룻밤 묵고 가수 신해철의 콘서트도 다녀 와야겠다고 생각했다. 나는 이때 신해철 팬들과 펜팔을 하고 있었는데 그분이 표를 구하는 걸 도와주겠다고 했다. 이때 표 가격은 3만 원이었다. 서울 가자마자 이분을 만났다. 그리고 허름한 문구점에서 표를 구했다. 표가 내 손에 들어오자 아주 행복한 마음으로 고모집으로 향했다.

나는 고등학교 때 수학 여행비를 피아노 학원에 등록하기도 하고, 도서관에 가서 문학책이나 소설책을 읽는 등 남에게 피해를 주지 않는 나만의 방황을 한 것 같다.

부모님은 성적이 좋지 않아도 공부 못한다고 야단친 적은 한 번도 없었다. 나는 지금 돌이켜 보면 차라리 그때 공부를 좀 하라고 야단쳤다면 내 인생이 좀 달라졌겠느냐는 의문을 가진다.

2020년 2월 어느 날 갑자기 뉴스에서 코로나19 보도로 사람들을 깜짝 놀라게 했다. 텔레비전에서는 매일 코로나19 현황을 보도했고 점점 상황이 악화했다. 3월이 되자 아이들은 온라인 수업과 오프라인 수업을 병행하게 되었다. 중학교 1학년이 된 내 아들 사랑이는 3월 한달 내내 온라인 수업을 하게 되었다. 한 달 동안 아예 학교에 가지 않았다. 코로나19는 내가 살아온 삶 중에서 정말 심각한

일이었다. 사랑이는 자기의 주관이 뚜렷한 성격을 가지고 있는 아이다. 호불호가 정확하고 싫은 건 절대로 하지 않는 고집이 센 아이였다. 6학년 때 까지만 해도 내 말을 오롯이 따르던 아이가 14살이 되면서부터 자신의 생각대로만 하려고 했다. 얼마전 유튜브에서 교육 영상을 다시 보기로 보다 보니 이런 내용이 있었다. 청소년기에는 충고가 아닌 조언을 해 줘야 한다고 한다. 존중해줘야 한다. 그래야 부모와 갈등이나 어긋남이 줄어든다고 한다.

사랑이의 학교는 버스로 20분 거리이고 자가용으로 15분 거리이다. 난 사랑이가 입학할 때부터 등하교를 자가용으로 데려다 주고 데리고 오고 있었다. 8시 30분까지 등교인데 준비를 8시 25분에 다 끝낸다. 2학기 들어서면서 느릿느릿 거북이가 되었다. 나는 빨리 준비하라고 재촉하고 아이는 짜증을 부린다. 어느 날 아침 아이가 하도 늦장을 부리길래 화가 나서 너 그냥 버스 타고 가라고 소리를 쳤다. 갈 버스를 타려면 30분을 더 기다려야 함에도 아이는 버스를 타겠다고 집 밖을 나선다. 나는 답답했다. 난 한숨을 쉬며 아이를 따라서 밖을 나섰다.

아이에게 전화했다. 태워줄 테니까 차로 오라고 했다. 아이는 저쪽에서 어슬렁어슬렁 걸어온다. 저렇게 느려 터져서 어떡해, 라고 생각하면서 아이를 차에 태운다. 아인은 아무 말이 없다. 나는 체육 끝나고 목마르면 음료수 사 먹으라고 천 원 한 장을 주었다. 요즘 들어 아이와 소통이 잘 안된다고 느꼈고 아이의 심리도 불안정해 보였다. 나는 학교에서 무슨 일이 있는 건 아닌가 하는 생각을 하였다. 형제가 없는 외아들이라 내가 친구 삼아 때론 형처럼 때론

말 잘들어주는 동생처럼 늘 함께하고 싶은데 요즘은 남보다 더 멀게 느껴진다. 나는 선생님에게 전화를 한번 걸어 상담해야겠다고 생각하고 오후에 잠깐 밖을 나와 선생님에게 전화를 걸었다. 선생님과 대화하면서 아이가 학교 생활이 쉽지 않겠다고 생각했다. 한 친구와 종종 심하게 다툰다고 했다. 오늘도 친구랑 다퉜다고 했다. 나는 집으로 돌아와 아이의 방문을 열며 말을 건넸다. "친구하고 다퉜다며 사이좋게 놀아" 사랑이는 내 말을 듣고는 미소를 띠며 고기 구워 달라고 말을 돌렸다. 순간 나는 알 수 있었다. 미소를 짓는 아이 표정에서 답답함이 조금 풀린다는 것을.

사랑이는 교문을 향해 걸어간다. 오늘도 선생님이 교문 앞에 계신다. 오늘도 늦었다면서 선생님은 앉았다 일어났다를 반복해서 시킨다. 사랑이는 힘겹게 하나둘을 세면서 팔십번을 넘게 앉았다 일어났다를 반복했다. 금요일 오후 집으로 돌아온 사랑이는 모든 시간을 침대위에 비스듬히 누워 시간을 보냈다. 나는 아이가 웬일로 게임을 안 하고 방에 있다고 생각하며 내 할 일을 했다. 아이는 요즘 친구와 다퉈서 선생님께 야단 맞기도 하고 아침에 늦을때면 이렇게 벌 씌우니 학교생활이 즐겁지도 않고 스트레스도 이만저만이 아니었다. 학교 가기 싫다라는 생각도 들고 어디론가 훌쩍 떠나서 머리라도 식히고 싶었다.

토요일 날 아침 아이가 다리를 절둑 거리며 아주 힘겹게 걷는 걸 보고 깜짝 놀랐다. 너 어디 아프냐고 묻자 사랑이는 학교에서 벌 받았는데 앉았다 일어났다를 반복해서 80번을 넘게 했다고 그랬다.

나는 아이가 2학기 들어서면서 왜 아침에 늦장을 부리는지 또 나한테 예민하게 구는지 그 마음을 알 수 있을 것 같았다. 월요일에 결석을 하고 병원을 데리고 간 아이는 약을 이틀 정도 먹은 후에 다리 통증이 점차 나아졌다. 나는 담임 선생님에게 2~3학년 선생님이

그런거 같은데 이렇게 무리한 체벌은 하지 말아 달라고 부탁을 드렸다. 솔직히 속상하고 화도 났지만 그냥 이번 한 번은 조용히 넘어가기로 했다. 며칠 뒤 사랑이는 아침에 학교에 데려다주는 차 안에서 나를 불렀다. 엄마 우리 여행 가자라고 말한다. 나는 올해 들어 코로나로 여행을 못 갔다. 나는 코로나 때문에 가는 건 무리라고 생각했다. 한쪽 마음이 무겁고 아팠다. 아이가 얼마나 힘들면 여행 가자고 그러겠냐고 생각하면서 어떻게 내가 대신 뭔가를 해주지 못하니 그저 답답하기도 하고 아이가 걱정도 되었다. 학교생활에 상처받는 건 아니냐는 생각도 들었고 가끔은 아이의 비행은 어른의 과도한 체벌인 훈육으로 올 수 있다고 생각한다. 더는 학교에서 심한 체벌은 없었으면 한다.

그렇게 2학기가 지나가고 중학교 1학년 겨울방학이 되었다. 아이는 공부엔 전혀 관심이 없었고 아침부터 저녁까지 게임을 했다. 나는 점점 아이가 염려스러웠다. 아이가 쓰는 언어도 비속어가 많아졌고 심지어는 게임을 하다가 욕설도 했다. 나는 아이 방에 들어가 게임 서버에 로그인 했다. 나는 홈페이지에 들어가서 탈퇴를 시켰다. 아이가 게임을 하는건 2~3가지가 되었는데 일단 하나는 탈퇴

시키고 다른 건 도무지 탈퇴하는 게 복잡해서 놔두었다. 아이는 이 날 내게서 마음의 문을 닫는 날이 되고 말았다. 어디 나가 있을 때 카톡을 보내도 답장도 없었고, 전화를 해도 잘 받지 않았다. 한동안 그렇게 대화를 하지 못했다.

어느 날 아이가 점심 무렵에 나가서 저녁 시간이 다가오는데도 들어오질 않았다. 오후 5시가 넘어서야 아이한테서 전화가 왔다. 친구들과 저녁을 먹고 들어오겠다고 했다. 나는 그냥 집에 와서 먹으라고 고집을 피웠다. 아이는 내 말을 따라 저녁을 먹지 않고 오수 6시가 넘어 들어왔다. 나는 애써 들어오라고 한 것이 조금 미안하기도 했고 괜히 들어오라고 했느냐는 생각도 들었다. 사랑이는 이후로도 계속 내게 대화를 하지 않았다.

어느 날 아이에게 물었다. 엄마가 뭐 물어보면 왜 대답을 안 하냐고 묻자 아이는 엄마가 저번에 게임 탈퇴했을 때 엄마가 너무 싫었다고 했다. 이 말을 듣고 나서야 나는 아차 싶었다. 나는 아이의 그때 심정을 다시 헤어려 본 것이다. 사랑이의 행동에 대해서도 아이만 탓할 게 아니라는 생각도 들었다.

코로나가 터지고 2020년도엔 여행도 한 번도 못 가고 문화생활도 접하지 못한 채로 1년이 훅 지나가 버렸다. 그렇게 사랑이는 중학교 2학년이 되었고, 나는 21년이 되고 나서 기쁜 소식을 하나 접하게 되었다. 내가 좋아하는 가수 케이윌이 3월부터 5월 말까지 뮤지컬 그레이트 코멧 초연 작품을 한다는 것이었다. 그레이트 코멧은 레오 톨스토이의 전쟁과 평화의 70페이지 분량을 각색한 작품이다. 현재 미국 공연계에서 가장 주목받는 작곡가 겸 극작가인 데이브 말로이가 톨스토이 걸작 소설 전쟁과 평화중 일부 스토리를 기반으로 만든 성 스루 뮤지컬이다.

뮤지컬은 3월 20일부터 5월 30일까지 했고, 나는 3월 31일 첫 뮤지컬을 보러 갔다

수요일에 아이를 학교에 데려다 집에 왔다. 그리고 간단히 화장하고 옷을 갈아입었다. 내 동네 터미널에서 서울 고속버스 터미널까지는 1시간 30분 거리이다. 나는 고속버스를 타고 서울을 향해 가는 차 안에서 어젯밤에 못본 음악 프로를 챙겨보며 나름 설렘과 긴장감을 조금 낮추었다. 터미널에서 공연장까지는 지하철로 25분 정도 걸렸다. 공연장에 일찍 도착한 나는 사진도 포토존에서 찍고 공연 보러 온 사람들이 부탁하면 사진도 찍어줬다. 굿즈도 사고 나는 로비에서 여유롭게 시간을 보냈다. 입장할 시간이 되어서 줄을 섰을 때 내 뒷줄에서는 일본에서도 온 관객도 있었다. 일본어로 대화를 나누는데 도통 무슨 말하는지 알아들을 수는 없었지만 케이윌 팬이 아니겠느냐고 짐작했다. 이날 주연인 피에르는 케이윌이 나타샤는 이해나 아나톨은 박강현이 맡았다. 나는 이날 무대를 바라볼 때 좌측 편 통로에 가까운 곳에 자리 잡았다. 첫 시작부터 내 몸에 전율이 흘렀다. 배우님들이 객석에 내 등 뒤에서 바이올린으로 연주를 하면서 시작했기 때문이다. 쩌렁쩌렁하게 울리는 바이올린 연주에 나는 귀를 기울였다. 내 귀가 즐거워하고 있음을 느꼈다. 연주가 끝나자 배우님들은 자리를 잡고 무대가 어두워졌다.

그리고 아코디언 연주가 시작되고 무대 위 한곳을 환하게 비추는

곳은 바로 피에르의 모습이었다. '저멀리 전쟁은 끝나지 않고'로 시작하는 노래는 내 마음을 설레게 했다. 노래는 웅장하고 신선했고 너무 좋았다. 그리고 케이윌 다운 음률이 있는 노래는 내 심장을 쿵쿵 뛰게 했다. 또 공연중에 노래를 또 하게 되는데 '문득 난 깨달았지 아무런 이유 없는 삶 계속 이대로 살 순 없다고'로 시작되는 가사가 내 마음을 울리게 했다. 난 사랑이가 자꾸 떠올랐다. 이 뮤지컬을 아이와 보면 참 좋겠단 생각을 했다. 아이는 작년부터 나와는 좀처럼 공연을 보러 가려고 하지 않았다. 난 이대로 아이와 공연 한번 못 보는 거 아닌가 그런 생각을 했었다. 이 공연을 보고 온 후 나는 올해 편입한 대학 중간고사 준비로 바빴고, 4월엔 공연 한번을 더 갔고 5월에도 두 번을 더 갔다. 그리고 어느 주말 아침에 공연 좌석표를 보다가 두자리 연석이 나온 걸 보고 아이에게 물었다. 물어봐도 대답은 뻔하겠지만 그래도 한번 물었다. 사랑이는 내가 예상했던 대답과 달리 공연에 가겠다고 했다. 나는 바로 표를 예약을 했다. 일찍 출발하게 준비하라고 했다. 조금뒤에 사랑이와 터미널로 향했다. 터미널에 도착한 나는 표를 끊은 뒤에 시간이 남아서 커피숍으로 갔다. 나는 녹차를 주문했고 아이는 버블티를 마신다고 했다. 나는 아이의 버블티를 주문하면서 버블티에 카페인은 넣지 말아달라고 덧붙여 말했다. 우리는 아무 말 없이 음료를 마셨다. 각자 휴대전화로 유튜브를 보거나 SNS를 보면서 시간을 보냈다. 버스 시간이 가까워지자 우린 터미널로 다시 나갔고 시간에 맞춰서 버스를 탔다.

조금 이른 시간에 도착한 아이와 나는 점심을 먹기 위해 터미널

지하 식당들을 둘러보며 스테이크 고깃집을 찾았고 거기서 우린 식사를 했다. 나는 탄 음식을 싫어한다. 항상 탄 음식이 나오면 탄 부분을 걸러서 떼고 먹거나 아니면 탄 음식은 먹질 않는다. 김치 볶음밥을 시켰는데 김치가 엄청나게 타서 나왔다. 못먹겠다고 말하기도 어색했다. 억지로 반 정도 먹다가 남겼다. 나도 고기 시킬 걸 그랬나보다라고 생각했다. 불편한 마음을 누르다가 식당을 나왔다.

아이가 시력이 나쁜데 점심을 다 먹고 난 후 갑자기 렌즈를 사고 싶다고 했다. 아직은 렌즈를 한 번도 껴본 적이 없는데 친구가 낀 걸 보고 난 후 아이도 껴보고 싶었던 모양이다. 나는 그냥 안경끼고 안 끼면 안되냐고 했는데도 끼고 싶다고 그랬다. 그래서 아이가 핸드폰으로 네이버 지도에서 콘텍즈 렌즈 가게를 검색했다. 아이는 지도를 보면서 렌즈만 전문으로 하는 가게로 향했고 어렵게 랜즈 가게를 찾아갔다. 렌즈 구매 후 오늘은 그냥 가고 다음에 끼라고 말했으나 아이는 렌즈를 눈에다 끼우고 간다고 했다. 사랑이는 여러번 시도했지만 실패했다. 아이는 못끼겠다며 안경을 다시 썼다.

아이와 함께 렌즈 가게를 나와 뮤지컬 공연장으로 향했다. 고속버스 터미널 지하에서 지하철을 타고 25분 정도 걸려서 공연장에 도착했다. 공연장은 아직 시작하려면 시간이 한참 남아 있어서 우린 커피숍 옆 편의점으로 들어갔다. 편의점에서 나는 물을 골랐고 아이는 냉장고에서 한참 보고 있더니 캔커피를 꺼내 들었다. 난 조금 당황했다. 아이가 피곤하고 졸려서 마셔야겠다고 했다. 나는 그래 이번만이라고 속으로 생각하며 물을 벌컥벌컥 마셨다. 아이와 나는 또 말없이 휴대폰을 각자 만지작거렸다. 30분 정도가 지났을 즈음 아이가 나보고 갈 때 있냐고 물었다. 나는 갈 데가 없다고 이야기 했고 아이는 휴대전화를 응시하면서 나가자고 했다.

사랑이는 휴대전화를 들여다보며 계속 걸었고 나는 뒤따라 걸었다. 아이보고 어디 가냐고 물어도 대답이 없었고 한참을 걷다가 멈춘곳은 피시방이었다. 나는 아이를 따를 들어갔다.

난 아이에게 또 게임이냐고 잔소리는 하지 않았다. 왜냐하면 내가 결혼 전 20대 시절에 약속이 있어서 누굴 기다릴 때 피시방에서 시간을 보내던 때가 떠올랐다. 그리고 나도 갈때가 없는데 피시방에서 시간을 보내도 괜찮겠단 생각이 들었기 때문이다. 나와 아이는 2시간 시간을 끊어 자리를 잡았다. 피시방에 있으면서 삼겹살 김치덮밥과 음료수도 시켜 먹었다. 시간은 그럭저럭 잘 갔다. 사랑이와 나는 공연 시간이 다가오자 피시방에서 나와 공연장으로 향했다. 걸어서 7분 정도 걸리는 거리였다. 우리는 공연장 시간이 거의 다 되어 도착했다. 우린 서둘러 입장표를 받아 공연장 안으로 들어갔다. 나 혼자 보러 갔을 때와는 달리 사랑이와 이공연 보고 있다는 것이 내게 너무 감격스러웠다. 내가 그동안 느꼈던 마음의 무게가 다 씻겨 내려가는 기분이었다. 1년 넘게 소통을 하기 힘들었던 아이, 이 뮤지컬이 아이와 내 사이를 이어주는 이음새 같았다.

나는 공연이 시작할 초반부터 눈시울이 뜨거워졌고, 케이윌이 노래를 부를때 웅장한 목소리가 내 가슴을 파고들어 눈물이 자꾸만 또르르 쏟아졌다. 애써 눈물을 참았다. 공연을 보면서 손뼉을 치는 아이의 손을 곁눈질로 보았다. 마음이 너무 행복해졌다. 매일 스트레스로 고생하는 아들이 공연을 보면서 함께 느끼고 손뼉을 치는 모습이 아이와 나의 미래에 희망을 보여주는 듯했다. 이렇게 멋진 공연을 아이에게 꼭 보여주고 싶었었는데 하늘이 내 뜻을 들어주는 것인지 아이와 오늘 하루가 참 달콤한 솜사탕 같은 하루였다. 달달하지만 먹으면 금방 녹아 없어지는 그런 하루…. 오늘 하루는 정말 평생 잊지 못할 사랑이와 나의 데이트였다.

공연은 2시간 20분 동안 진행이 되었고 중간 휴식이 20분 있었다. 시간은 정말 빨리 흘러 공연은 끝이 났다. 나는 차 시간이 다 되어 가서 마지막 끝나기 전에 나가려고 했다. 그러나 아이가 나가지 않고 계속 공연을 보는 바람에 나도 공연이 완전히 끝날 때까지 있다가 나왔다.

나는 예매해둔 버스 시간이 다가오자 마음이 급해졌다. 아이와 나는 지하철을 타러 갔고 버스 터미널로 향했다. 버스 시간에 딱 맞게 도착한 아이와 나는 버스를 놓치지 않고 탔다.

이날 밤 우린 밤 11시 30분이 되어서야 집에 도착했다. 평소 같으면 아이 아빠가 집에 있으면 이렇게 늦은 귀가를 꿈도 못 꿀 일이었지만 이날 일이 있어서 집을 비우게 된 것이다. 나는 피곤했지만 너무나도 멋진 하루였다. 내가 이렇게 오늘 하루가 행복한 것도 아이와 함께 뭔가를 한다는 게 너무 좋기 때문이 아닐까 하는 생각이 든다. 사랑아 넌 오늘 하루 어땠노라고 묻고 싶었지만 묻지 않았다.

공연을 보고 온 후 대학교 기말고사 준비로 바빠졌다. 하교길도 아이 아빠가 데리러 가서 아이를 집으로 데려오는 날이 잦아졌다.

덕분에 나는 기말고사 준비에 집중 할 수 있었다. 아이가 집으로 돌아오면 늘 책상 앞에서 A4 용지 인쇄물을 들여다보고 있는 나의 뒷모습을 보곤 했다. 아이는 2학년 중간고사 때 성적이 그다지 좋지 않았고, 아이 때문에 고민이 많았다. 우리 지역은 비평준화 지역이라서 성적과 생활기록부 사항 등 합산한 점수대로 고등학교에 들어가기 때문이다. 기말고사를 잘 봐야 할 텐데라고 생각을 했다. 그렇다고 아이에게 공부하라고 강요하거나 잔소리는 하지 않았다.

아이가 스스로 깨닫기를 바랐고, 기다렸다. 그러나 너무 많이 기다렸다. 어느새 1년 반에 가깝게 시간이 흘러가고 있었다.

사랑이가 집에 오면 엄마는 늘 공부를 하고 있었다. 가족 식사를 하러 식당에 갔다가도 엄마는 식사를 다 하면 시험공부 해야 한다면서 먼저 집으로 가곤 했다. 사랑이는 표현은 하지 않았지만 늘 공부하는 엄마처럼 자신도 공부해서 대학교는 가야겠다고 생각했다. 그리고 엄마가 얼마 전에 뮤지컬 보러 갔을 때 커피 마신다고 야단치지 않은 것이 떠올랐다. 또 피시방에서 또 게임이냐고 야단치지 않은 것을 떠올리면 기분이 조금은 좋아지는 것 같았다. 2학년이 되면서 학교에 지각한 적도 없었다. 스트레스도 1학년에 비해 줄어서인지 요즘은 학교가 싫지 않았다. 그리고 학교에 가면 내게 늘 상냥하게 말을 걸어주는 여자 친구도 있었다. 이 여자친구는 공부도 잘하고 성격도 좋았다. 특히 수학을 참 잘하는 친구였다. 이 친구와 친해지면서 나도 수학을 잘하고 싶어졌고, 기말고사 때는 시험을 잘 보고 싶었다. 엄마를 기쁘게 해드리고도 싶었다. 사랑이는 엄마가 뮤지컬를 보면서 눈물을 글썽이던 모습을 떠올렸다. 엄마가 뮤지컬을 보면서 운다고 생각은 했지만, 왠지 자기 때문에 우는 건 아닐까 생각이 들기도 했다.

사랑이는 어느 주말 오후 3시가 넘었을 즈음 말없이 밖을 나갔다. 나는 평소와 다름없이 내 할 일을 했고 아이는 갑자기 나에게 카톡을 했다. 엄마 나 오늘 스터디 카페에서 공부하다 갈 거라는 말로 시작해서 오늘 아무래도 기말고사를 잘 봐야 할 것 같아서 서점에서 책 한 권 사다가 밤새서 공부를 해야겠다고 했다. 집에서 공부하면 공부도 잘 안되고 졸린데 여기 스터디 카페는 분위기도 좋고 공부도 잘 된다는 것이었다. 난 아이가 스터디 카페에서 공부한다는 말도 조금 놀라웠고, 밤을 새서 하겠다는 말에도 놀랐다. 나는 그냥 집에서 하면 안되겠냐고 했고 집에 컴퓨터 치워버리고 공부하면 되지 않냐고 말했다. 그렇지만 아이는 자기 생각을 계속 얘기했다. 나는 결국 허락은 했지만 걱정이 되었고 아이 아빠도 걱정했다. 아이는 새벽에 공부하는 영상을 찍어 보냈다. 나는 자다가 새벽에 잠시 깨서 아이가 보낸 카톡을 확인하고 기분 좋은 마음으로 잠을 다시 청할 수 있었다. 아침이 되었고 나는 아이가 오기만을 기다렸다.

일요일 아침 9시가 조금 안 돼서 아이는 집에 들어왔다. 나는 왔노라고 인사했고, 아이는 대답을 하고는 방으로 들어가서 5시가 되도록 잠을 잤다. 사랑이는 기말고사가 끝나갈 무렵 어느 날 갑자기 온라인으로 하는 수학 과외를 안 하고 학원에 다니겠다고 했다. 나는 아이가 학원을 스스로 먼저 다니겠다고 말한 적이 처음이라 그렇게 하고 싶으면 그렇게 하라고 했다. 나는 아이가 공부하기로 단단히 결심했구나 라고 짐작했다.

나는 여느 때와 다름없이 아이를 아침에 데려다주고 온 후 청소를 하려고 아이 방에 들어갔다. 근데 뭔가 책상 위가 달랐다. 깔끔하다고 느끼면서 컴퓨터가 베란다로 치워져 있는 것을 본 것이다. 나는 갑자기 너무 좋아서 거실로 나와서 막 웃으며 폴짝폴짝 뛰었다. 진짜 공부하기로 맘먹었구나! 아니 내가 게임 하지 말말고 야단친 적도 없는데 스스로 느껴서 컴퓨터를 치웠다는 것에 대한 기쁨이 하염없이 솟았다.

그래 2학기 때에는 사랑이도 공부 열심히 해서 시험 잘 보자. 엄마도 2학기 때에도 열심히 공부해서 시험 더 잘 보고 성장할게.

사랑이는 요즘 수학 공부에 한창 열심이다. 학원에서 수학 공부를 하고 오면, 과제 문제집은 학교에 가져가서 쉬는 시간이나 점심 식사 마치고 남는 시간에 과제를 한다. 모르는 문제는 함께 학원 다니는 여자 친구에게 물어보기도 한다. 요즘 수학 공부가 어렵기도 하지만 재미있다. 사랑이는 2학기 때에는 수학 시험을 꼭 80점 이상은 받아야겠다고 생각했다.

'엄마 그거 알아? 나도 엄마처럼 열심히 하고 싶어. 그래서 잘해보고 싶어'

꼬모 해물찜

애리는 아침에 4살 된 아들을 어린이집에 보내고서야, 아침을 먹고 나온 설거지를 할 수 있었다. 애리는 송이 해물찜 가게에서 주방 보조로 일을 하고 있다. 그날도 10시까지 가게로 나가야 했기에 애리는 방 정리를 급히 마무리 짓고 집을 나섰다.

카운터 뒤에 서있는 주인 아줌마의 얼굴이 왠지 모르게 좋지 않았다. "아줌마 무슨일 있어요?" 아줌마는 넌지시 말을 꺼냈다. 집에 아저씨가 많이 아파서 1주일 뒤에 수술 날짜를 잡아 놨으며 아줌마가 병원에 있는 동안 주방일을 맡아 달라는 것이었다. 애리는 깜짝 놀랐다. 살짝 걱정도 밀려왔다. "제가요? 아줌마 없이 혼자서 잘 할 수 있을지 모르겠어요." 아줌마는 병원에 가기 전에 레시피들을 잘 알려 줄 테니 힘들어도 좀 맡아 달라고 재차 당부했다. 대신 이번에 받을 월급을 조금 더 얹어 주겠다고 했다. 애리는 차마 거절하지 못했고, 어쩔 수 없이 아줌마의 일거수일투족을 유심히 관찰했다. 레시피를 익혀야 했기 때문이다.

아줌마는 양념장을 미리 만들어 놓고 간다고 했고, 혹시나 양념장이 모자랄 수도 있으니 만드는 방법을 알려주겠다고 했다.

***

3년 후

꼬모 해물찜 가게는 아주 복잡했다. 사람들은 왁자지껄 떠들었고, 자리도 만석이었다.

"아줌마 여기 떡볶이 떡이랑, 콩나물과 양념장 추가요." 어느 여자가 불렀다. 애리는 주방에서 떡볶이 떡과 숨을 살짝 죽인 콩나물과 양념장을 꺼내왔다.

애리는 3년 전에 직원으로 있던 가게를 그만두고, 대출을 받아 가게를 하나 차렸다. 처음엔 손님이 뜸하다가 점점 입소문이 퍼져 6개월 뒤부터 가게는 늘 만석이었다. 그 덕에 애리는 대출금을 다 갚고, 수익을 저축할 수 있었다.

어느 날, 점심 때 여자 한 명과 남자 두명이 함께 가게에 들어왔다. 애리는 주방장과 주방보조, 홀써빙 한 명씩을 직원으로 두고 있었고, 주방과 홀을 왔다 갔다 하면서 일을 도왔다. 양념장을 직접 만들기도 하고, 레시피는 꼭 자신이 확인했다. 홀 청소를 돕던 애리는 손님인 한 남자가 주인을 찾자 의아한 표정으로 다가갔다. 왜 그러냐고 묻자 남자는 자신이 TV 맛집 투어 프로그램 PD인데, 여기 집을 꼭 찍고 싶다고 했다. 애리는 TV에 나와도 나쁘지 않을 것 같아서 그 자리에서 찍어도 된다고 바로 승낙했다. PD는 활짝 웃으며 주인 아줌마가 성격이 시원시원 하다면서 명함을 내밀었다. 그리고는 애리에게 가게 명함을 한 장 부탁했고, 촬영 날짜가 정해지면 연락한다며 가게를 떠났다. 애리도 활짝 웃으며 "네 연락주세요."라고 대답하고는 주방으로 들어갔다.

며칠 후, 꼬모 해물찜 가게를 촬영했다. 애리는 상큼한 미소를 짓기도 하고, 손수 요리하는 모습을 보이기도 했다. 리포터는 아주 요리를 잘하는 집이라며 애리가 직접 요리한 해물찜을 먹으면서 감탄사를 연발하며 마무리를 지었다. 2주 후에 드디어 이 프로가 방영이 되었다.

애리는 가게 일로 바빠서 TV는 보지 못했고, 다음 날 낮에 가게는 난리가 났다. 사람들이 계속 들어오더니 밖에 줄을 서기 시작했다.

"사장님 너무 힘드네요. 손님은 너무 많고, 직원은 나 혼자라 너무 정신이 없어요."

홀 서빙하는 아줌마는 투덜댔다. 애리는 아무래도 직원을 좀 더 뽑아야겠다고 생각했다.

"아줌마 미안해요. 갑자기 이렇게 손님이 확 늘게 될 줄 몰랐어요. 오늘 바로 직원 광고 내볼게요." 애리도 자신이 주방과 홀을 오가며 치우고 시중드는 게 너무 힘들었다.

애리는 팔도 아프고 다리도 후들거렸다. 자기도 이렇게 힘든데 서빙을 메인으로 하는 아줌마에게 미안한 마음만 가득했다. 애리는 벼룩시장 직원 구인란에 광고를 냈고, 한 시간도 되지 않아 가게엔 전화벨이 끊임없이 울렸다. 모두 구직자들이었다. 애리는 일단 가게에서 면접을 보자고 한 뒤 전화를 끊었다. 가게는 "이 집 진짜 맛있대” 라고 떠들며 들어온 새 손님부터 단골 손님까지 오후 3시가 지나도 붐볐다. “사장님 가게가 대박 난건 좋은데요. 아이고 이러다 저 쓰러질 것 같아요.” 애리는 좀 있다가 면접 보러 온다 했으니 오늘만 참으라고 했다.

오후 4시가 다 되어 가자 손님들은 점점 줄어 한테이블에만 남게 되고, 4시가 되었을 무렵 여자 한 명이 가게 안으로 들어왔다. 면접 보러 왔다고 했고 애리는 반가운 마음에 활짝 웃으며 어서 오라고 했다. 면접자는 예전에 아구찜과 해물찜 집에서 1년간 일해본 적이 있고, 얼마 전에 한식당에서 일하다가 그만 두었다고 했다. 애리가 주방과 서빙일 중 어떤 쪽을 원하냐고 묻자 예쁘장하게 생긴 이 여자는 주방일을 지원하러 왔다고 했다. 애리가 보조로 주방일과 설거지를 좀 해야 한다고 하자 이 여자는 열심히 할테니 맡겨달라고 했다. 애리는 그러면 내일부터 나오라고 했다.

조금 떨어진 곳에서 듣고 있던 홀서빙하는 아줌마는 “사장님, 홀서빙은 안 뽑아 주실 거예요?” 애리는 조금 있다가 또 면접 보러 올 테니 조금 기다려 보라고 했다. 한 테이블에 있던 손님도 가고 오후 4시 30분이 지나가자 가게는 조용했다. 애리는 브레이크타임이라는 푯말을 밖에다가 걸었다. 원래 3시 30분부터 5시까지 브레이크타임인데 이미 한 시간은 쉬지도 못하고 시간이 훌쩍 가버린 것이다. 홀서빙 아줌마와 애리가 의자에 앉아서 이런저런 이야기를 나누고 있으니 가게에 한 젊은 여성이 들어왔다. “저기 홀서빙 구한다고 해서 왔어요.” 애리는 나이와 이름 전화번호를 묻고 내일부터 나올 수 있냐고 물었다. 그 젊은 아가씨는 나올 수 있다고 했고 애리는 내일부터 나오라는 말을 하고는 주방 안으로 들어갔다.

"주방 이모, 내일부터 주방 보조 한 명 올 거예요. 주방 이모보다 5살은 어리더라고요. 잘 가르쳐주고 잘 지내보세요. 오늘 고생한 건 월급에 얹어 드릴게요." 주방 아줌마는 힘들어도 애리의 말이 힘이 됐는지 활짝 웃으며 "알았어요. 사장님"이라 대답하고 주방을 정리하기 시작했다. 애리는 그래도 TV 촬영하기를 잘했다고 생각하면서 설거지를 시작했다.

오늘 손님 중엔 애리와 사진 한 장 찍고 싶다는 손님도 있었다. 애리는 오늘 저녁 장사가 기대되었다. 저녁 6시가 되자, 올해 7살이 된 아들이 가게 안으로 들어왔다. 아들은 평일엔 오후 6시가 되면 가게로 온다. 가게 주방 옆에 작은방이 있었다. 아들은 마치면 늘 이 방에서 저녁도 먹고 티브이도 보다가 밤 9시가 되면 애리와 함께 집으로 갔다. 3년 전에 남편과 이혼하고 혼자서 여기 해물찜 가게를 차려서 아들 성훈이를 키우고 있다. 아들을 혼자 키우면서 장사하느라 이 가게를 시작할 무렵엔 애를 먹었다. 정말 너무 힘들어서 한동안은 울다가 잠자리에 들곤 했다. 그러나 성훈이가 7살이 되자 혼자서도 잘 놀고 하니까 애리는 요즘엔 사는 데 힘이 났다.

처음엔 가게에 있는 방에서 생활했지만 얼마 전에 20평대 아파트를 전세로 들어갔다. 생활이 어느 정도 틀이 잡히자 애리는 꼭 큰 집을 사겠다고 목표를 세웠다. 애리는 오늘처럼 장사만 되면 금방 큰집도 사고, 그리고 2호점도 낼 수 있겠다고 생각했다. 아들이 들어오자 애리는 환하게 웃으며 "우리 성훈이 왔어? 방에 들어가서 기다려 엄마가 밥 차려 줄게." 성훈이는 "네"라고 대답하면서 방으로 들어갔다.

애리는 작은 뚝배기에 된장을 풀고 여러 야채를 넣어 찌개를 끓였다. 소시지를 굽고 감자도 볶았다. 아들도 밥을 먹겠지만 주방 아줌마와 홀서빙 직원도 식사해야 했기에 양을 조금 더 늘렸다.

어느 날 아침 애리는 가게에 출근해서 청소를 돕다가 전화 한통을 받았다. 방송국 PD였는데,

자신이 요리 프로그램을 만들고 있는데 나와 줄 수 있겠느냐고 물어왔다. 애리는 어떤 프로냐고 물었고, PD는 연예인과 일반인의 요리 대결이라고 했다. 메뉴는 해물찜으로 하면 될 것 같다고 했다. 애리는 고민도 하지 않고 바로 하겠다고 대답했다.

며칠 후, 방송국에 도착한 애리는 가슴이 뛰었다. 일반인들 열 명과 해물찜 명인 이준석 요리사 외 두명이 더 심사를 보기로 했다. 애리는 방송국 4층으로 올라갔다. 4층 스튜디오 안에는 사람들로 붐볐다. 스튜디오를 쭈욱 눈으로 둘러보니 PD와 탤런트 이성진이 이야기를 나누고 있었다. 애리는 그쪽으로 다가갔다. “안녕하세요” 밝은 톤으로 인사하자 이성진과 PD는 미소를 띄우고 애리에게 인사했다. 이성진은 180은 넘어 보이는 큰 키의 호감형이었다. 애리는 이 분위기가 편안했다. 방송국에 처음 들어올 때 빨라지던 심장박동수가 조금씩 느려졌다. PD는 방송 전반에 대해 설명을 해주었고, 곧 촬영 들어가니까 긴장 풀고 조금만 기다리라고 했다. 애리와 이성진 둘만 남게 되자 조금 어색해진 분위기를 바꾸려는 듯 이성진이 먼저 말을 걸었다. “요리를 언제부터 시작하셨어요?”

애리는 아이를 낳고 돌이 지났을 때 식당에서 일하면서 시작하게 되었다고 했다. 성진이 자신의 엄마도 식당에서 일하셨고 요리를 참 잘하셨다고 자랑 아닌 자랑을 했다. 이성진과 애리가 이야기를 한창 나누고 있는데, PD가 "자자 촬영 들어갑니다"라고 소리 쳤다. 애리는 "가봐요."라는 말을 하고는 스튜디오 조리대로 향했다. 애리는 가슴이 두근거렸다. 심호흡을 한번 했다.

스튜디오에 조명이 들어오고 감독이 사인을 보내자, 사회자가 진행을 시작했다. 사회자가 요리 시작을 알리자, 애리와 이성진은 냄비에 물을 올렸다.

카메라 감독은 촬영하면서 애리와 이성진의 요리 순서가 비슷하다고 생각했다. 애리를 찍다가 성진에게로 앵글을 돌리면 요리 순서가 이어지는 듯했다. 1시간이 조금 흘렀을까 요리는 완성이 되었고, 애리는 청양고추와 홍고추를 넣는 것도 잊지 않았다. 애리는 고추를 넣으면서 오래전 송이 해물찜 주인아줌마의 목소리를 떠올렸다. "청양고추, 홍고추 넣는거 잊지 말고 알았지?"라고 말하며 미소를 짓던 주인아줌마. 드디어 성진도 애리도 요리를 완성하게 되었고 심사위원으로 참여한 사람들에게 맛을 보여 주었다. 이준석 요리사는 애리와 성진의 요리를 각각 맛을 보고 깜짝 놀랐다. 꼭 한사람이 만든 것처럼 맛이 비슷해서였다. 해물들과 콩나물의 익기와 간이 밴 정도가 어쩌면 이렇게 비슷하냐고 생각했다. 결과는 같은 점수가 나왔고, 이준석 요리사의 평도 "깜짝 놀랐습니다. 어쩌면 맛이 이리도 비슷한지 두 분이 아닌 한 사람이 요리를 한 것 같았어요. 맛은 뭐 말할 것도 없이 훌륭하고요." 애리와 성진은 서로의 요리가 너무 궁금해졌다. 촬영이 끝나자, 애리와 성진은 상대방의 요리를 맛보았다. 애리는 깜짝 놀랐다. 이 맛은 분명 송이 해물찜에서 일했을 때 주인아줌마가 해주던 해물찜 맛이랑 너무나도 비슷했기 때문이다. 애리의 해물찜을 먹어본 성진은 갑자기 눈물이 핑 돌았다. 성진은 말없이 스튜디오를 나가버렸다. 촬영이 끝났고, 집으로 돌아가는 길에 애리는 느낌이 참 묘했다.

얼마 후 애리가 촬영한 요리 프로그램이 방송에 나가자, 식당은 더 많은 사람으로 붐벼 하루가 너무나도 정신없이 바빴다. 애리는 단아하고 예쁘장한 미모로 손님들의 인기도 얻었다. 함께 사진 찍어 달라는 손님도 요즘 들어 더 많아졌다. 애리는 몸은 힘들어도 마음은 흐뭇했다. 오후 2시가 조금 넘었을 무렵 모자를 푹 눌러쓰고 들어오는 키가 큰 남자를 보자 애리는 조금 놀랐다. 성진이였기 때문이다. 애리가 "안녕하세요" 라고 인사를 건네자 성진도 "잘 지내시죠?"라면서 해물찜과 소주 한병을 달라고 했다. 운전하셔야 하는데 괜찮겠냐고 묻자 성진은 매니저가 차에서 기다리고 있다고 말했다. 같이 오시지 그러셨어요? 성진은 멋쩍은 듯 웃으며 매니저는 점심때 식사를 먼저 해서 안먹는다고 했다.

성진은 부탁 하나만 해도 되냐고 물었다. 애리는 뭐냐고 물었고 성진은 애리씨가 직접 요리한 해물찜을 먹고 싶다고 했다. 대신 음식값은 두배로 드리겠다고 했다. 애리는 "아니에요 그냥 해드릴게요"라고 대답하고 주방으로 들어갔다. 주방 이모가 "사장님이 요리 직접 하시게요?" 라고 묻자 애리는 미소를 띄우고 "손님이 부탁해서요."라고 대답하고는 요리를 시작했다. 시간이 좀 지나 요리가 완성되었고, 애리는 그 요리를 그릇에 담아 직접 성진에게 가져다주었다. 성진은 대뜸 애리에게 같이 소주 한잔하겠냐고 물었고 애리는 죄송하지만 일을 해야 해서 술은 못 마시지만 식사는 하겠다고 했다. 성진은 해물찜을 한 숟갈 떠넘기고는 소주를 한잔 들이켰다. 애리는 성진에게 무슨일 있느냐고 물었고 성진은 아무일도 없다며 해물찜과 소주를 홀짝였다. 애리는 이 분위기가 그리 편안하지가 않았다. 성진이 말을 하지 않아서였다. 애리도 식사만 하고는 자리에서 일어났다. 애리는 성진이 왜 여기 와서 말도 거의 하지 않고 해물찜을 만들어 달래놓고 소주만 홀짝이는지 이해되지 않았다. 성진은 잘 먹었다며 오만원 짜리 지폐를 한 장 책상 위에 올려놓고는 가게를 나가버렸다.

며칠 뒤, 잡지 인터뷰를 위해 애리는 미용실에 가서 머리 스타일을 바꾸고 옷도 갈아입고 인터뷰 장소로 향했다. 이은희 작가는 아담한 키에 통통하게 생긴 모습이었다.

애리는 오늘 인터뷰에서 어떻게 해물찜 가게를 차리게 되었냐는 질문에, 이렇게 대답했다.

"제가 출산하고 난 후 첫 직장이 식당 주방 보조였는데 주방 아줌마께서 집안에 일이 생겨 저에게 레시피를 알려 주셨어요. 주인 아줌마께서 식당을 비운 며칠간 요리를 직접 하며 장사를 했는데 사람들 반응이 좋았어요. 다들 맛있다고 했고 이것을 계기로 식당을 차리게 되었어요. 아줌마의 요리를 많이 먹어보고 아줌마가 일러준 레시피를 공부한 게 많은 도움이 되었어요."

은희 작가는 다시 질문했다. "꼬모 해물찜에서 일하시는데 가게 이름을 왜 꼬모라고 짓게 되었나요?" 애리는 입가에 미소를 띄우고 말했다. "꼬모는 COMO 라는 철자로 이탈리아어에요. 예전에 이탈리아 여행잡지를 우연히 보게 되었어요. 호수가 아름다운 마을 꼬모라는 곳이 있는데 지친 마음에 휴식을 주는곳, 또 살고 싶은 작은 도시라고 소개 되어있었어요. 밤이 되면 꼬모는 아름다운 불빛으로 가득하죠. 이 꼬모라는 마을이 주는 느낌처럼 저도 이 가게를 지친 일상에 조금이나마 사람들의 힐링이 되는 곳으로 만들고 싶단 생각에 짓게 되었어요." 이은희 작가는 눈빛이 반짝거렸다. 애리는 인터뷰를 마치고 가게로 돌아왔다.

열흘이 지났을 무렵 카운터 옆 간이 의자에 앉아 있는데 전화벨이 울렸다. 한동안 잊고 지냈던 성진의 전화였다. "잘 지내시죠?" 안부를 묻고 혹시 예전에 일하던 식당이 송이 해물찜 식당이냐고 물었다. 애리는 맞다고 했고 그걸 어떻게 아냐고 물었다. 성진은 전화를 뚝 끊었다. 애리는 고개를 갸우뚱하고 손님 맞을 준비를 했다. 애리는 이날도 무지 바쁘게 일하고 잠시 쉬고 있는데 전화벨이 울렸다. 성진이었다. 오늘 저녁 가게 문 닫을 시간에 맞춰서 가게에 들러도 괜찮냐고 물었고 애리는 아이 때문에 시간을 많이 내진 못하지만 괜찮다고 대답했다.

밤 9시가 다가오자 붐볐던 가게도 한산해졌다. 애리는 오늘은 손님이 오기로 했으니 다들 일찍 퇴근하라고 일렀고, 직원들은 마무리를 하고 하나둘 퇴근을 했다.

애리가 직원들을 다 보내고 간판 불을 끄는 중에 성진이 들어왔다. 성진은 얼굴빛이 조금 어두웠다. 애리는 무슨 일 있느냐고 물었고 성진은 아무 일 없다고 하면서 혹시 해물찜 레시피를 자신에게 좀 알려줄 수 있냐고 말했다. 애리는 성진씨도 요리 잘하면서 알려달라고 하냐고 말했고 성진은 꼭 좀 알려달라고 당부했다. 애리는 탐탁지 않았지만 알았다고 했고, 해물찜을 만들며 하나하나 성진에게 일러주었다. “그리고 청양고추와 홍고추 넣는 거 잊지 마시구요.” 애리는 미소를 띄우고 말했다. 성진은 여기서 자신의 맛이 왜 애리와 달랐는지 알 수 있었다. 청양고추를 넣지 않았다. 어릴 때부터 자신은 청양고추를 먹지 않았다. 성진은 눈물이 핑 돌았다. 요리가 완성되자 성진은 해물찜과 소주 한잔하자고 했다. 애리와 성진은 식당 한쪽에 자리를 잡았다. 성진은 해물찜을 한입 먹고는 소주를 한잔 들이켰다. 성진이 술을 권하자 애리도 해물찜과 소주를 한잔 마셨다.

“앞만 보며 살았어요. 신랑이랑 3년 전에 이혼하면서 가게를 차렸고 처음엔 집도 없이 가게에 있는 방에서 아이를 키우며 악착같이 장사를 했어요. 그리고 3년 동안 장사가 잘돼서 이 집도 사게 되었고, 제 꿈도 하나씩 키워가는 중이에요. 곧 2호점을 낼 생각이고 돈이 많이 모이면 전국에 체인점을 내는 게 꿈이에요.”

성진은 소주를 홀짝이다가 애리의 이야기에 이따금 고개를 끄덕이거나 짤막하게 대답을 해주었다. 애리는 성진이 참 조용한 성격이라고 생각했다. 성진은 자정이 다 되어가자 성진은 충혈된 눈을 감고 고개를 푹 숙였다. 애리는 성진을 부축해 주방 옆에 있는 방에 앉혔다. 방 한쪽에는 성훈이가 자고 있었다. 누워서 좀 쉬라고 하면서 애리는 방에서 나와 홀 의자에 앉았다. 애리는 잠이 오지 않아 휴대폰을 들여다봤다. 2호점을 낼 자금이 얼마나 있는지 확인했다. 이번 한 달만 더 돈을 모으면 낼 수 있겠다고 생각했다.

의자에 앉아 카운터 책상에 엎드려 있던 애리는 깊이 잠을 자지 못하고 일어났다. 쪽방 문을 열자, 성진은 언제 나갔는지 없었다. 한 시간이 지났을 무렵 전화벨이 울렸다. 성진이었다. 지금 잠시 가게 앞 스타벅스 커피숍에 올 수 있겠냐고 했다. 애리가 무슨일 있냐고 묻자 성진은 아주 중요한 이야기를 해야한다고 했다. 애리는 알았다고 하고 스타벅스로 향했다. '이 사람 나 좋아하나?' 속으로 생각하면서 순간 두 볼이 빨개졌다.

성진은 검정색 티를 입고 아주 깔끔한 모습으로 앉아 있었다. 애리가 맞은편 자리에 앉자, 성진은 파일함에서 A4 용지 두 장을 꺼냈다. 자신이 식당 하나를 인수했는데 여기에서 2호점을 운영 해보자는 제안이었다. 수익은 6:4로 애리가 4, 자신이 6으로 하는데 운영비, 식자재비, 직원 인건비를 자신이 다 부담하겠다는 것이었다. 애리는 생각을 좀 해보겠다고 했다. 성진은 "생각할 게 뭐 있어요? 아주 좋은 조건 아닌가요? 애리씨 계획에 한발 더 빨리 다가가서 좋은데 바로 사인 합시다." 성진의 말을 들은 애리는 나쁘지 않은 조건이라고 생각했다. 그런데 성진이 왜 자기한테 이렇게 하는지 궁금하기도 했다. 자신을 많이 좋아해서 저러는가 싶기도 했다. 이유가 어떻든 성진의 뜻에 좋다고 하였고 계획서에 싸인을 했다. 성진이 갑자기 환하게 웃었다. 성진은 오늘 커피값은 자신이 낸다며 먼저 일어섰다. 애리도 따라 일어섰고 커피숍을 나가 가게로 향했다.

애리는 2호점을 자신의 돈을 들이지 않고 운영을 하게 되어 기분이 좋았다. 자신이 지금까지 모은 돈은 집을 매입하는데 써야겠다고 생각했다.

다음 날 아침, 애리가 가게에 나가려고 준비하고 있는데 전화벨이 울렸다. 성진이었다.

"애리씨, 제가 지금 2호점에 와 있는데 지금 한번 와 보시겠어요? 여기 송이 해물찜 가게예요 애리씨도 아시잖아요."애리는 깜짝 놀랐다. "아니 거길 인수하셨어요? 어떻게……." 애리는 말을 잇지 못했다. "와서 이야기 해요. 일단 오세요" 성진은 전화를 뚝 끊어버렸다.

애리는 자신이 처음 일했던 가게가 2호점이라니 이 무슨 인연인가, 라고 생각하면서 집을 나섰다. 애리가 도착하자 해물찜 가게는 노란색 계열로 산뜻하게 인테리어가 되어 있었고, 깔끔했다. 성진은 해물찜을 만들고 있었다. 오늘따라 성진의 모습은 밝아 보였다. 성진은 애리를 보자 해물찜 다 만들어가니까 잠시만 기다리라고 했고, 성진은 잠시 후에 해물찜과 반찬 그리고 밥을 퍼서 가져왔다. 성진은 미소를 지으며 아침 안먹었을 텐데 한번 먹어 보라고 했다. 애리는 해물찜을 먹었다. 애리는 깜짝 놀랐다. 분명 이 맛은 예전에 여기 송이 식당에서 주인 아줌마가 해준 맛과 거의 똑같았기 때문이다. 저번에 비슷하다고 생각은 했지만 이렇게 똑같다고는 생각하지 않았는데……. 혹시 이 사람 주인아줌마 아들인가 싶었다. 애리는 "식사 안하셨으면 좀 드세요" 라고 말하며 해물찜이 너무 맛있다고 칭찬하면서 2호점도 "대박 날것 같다."라는 이야길 하였다. 성진은 한참을 말없이 애리의 먹는 모습을 보다가 입술을 뗐다. "애리씨, 사실은 송이 식당 주인 아줌마 말이에요." 라고 말을 하자 애리가 물었다. "혹시 주인 아줌마 성진씨 어머니세요?"라고 물었고 성진은 말을 잇지 못했다. 눈가가 축축하게 젖었다. 애리도 아무 말 없이 밥을 다 먹고는 가게에 가야겠다면서 일어섰고, 성진은 아무 말 없이 앉아 있었다.

애리는 가게에 오자 마음이 무거웠다. 주인 아줌마는 안계시고 아들이 왜 자기에게 가게를 운영하자고 하는지 이해가 잘 안 되었다. 궁금한게 많았다. 주인 아줌마는 어디 계시는지도 궁금했다. 이날 이후로 며칠동안 성진에게 연락이 오지 않았다.

애리는 성진의 전화가 없자 궁금해졌다. 전화를 걸었다. 성진은 안 그래도 전화하려고 했다면서 그동안 직원들 뽑고 식자재 준비하느라 연락을 못했다고 했다. 오늘 가게 마칠 시간에 들르겠다고 했다. 애리는 알았다고 하고 전화를 끊었다. 만나면 묻고 싶은게 있었다.

애리는 가게 마칠 시간을 기다렸다. 애리는 오늘은 조금 일찍 가게 문을 닫겠다고 직원들에게 일렀다. 직원들은 일찍 마무리하고 퇴근을 했다.

애리는 성진을 기다렸다. 마칠 시간이 다가오자 성진이 불쑥 들어왔다. 애리는 성진이 반가웠다. 며칠 못 봤는데 몇 달은 못 본 것처럼 느껴졌다. 성진은 의자에 앉았다. 애리도 자리에 앉으며 물었다. "주인 아줌마 말인데요. 어디 계셔요?" 성진은 고개를 떨구었다.

"돌아가셨어요. 어머니는 제가 가게를 이어 가기를 원하셨는데 살아계실 땐 이 가게 운영을 제가 이어 갈 생각을 하지 못했어요. 돌아가시고 나서 해물찜 가게를 이어 가려고 해물찜을 만들어보곤 했지만 어머니의 손맛을 내기가 쉽진 않았어요." 애리는 그제야 궁금했던 것들이 다 해소가 되면서 성진을 이해 할 수 있었다.

애리는 자신이 이렇게 성공을 하고 살고 있는게 성진의 어머니 때문이나 다름없었다. 애리는 성진에게 다가갔다.

"2호점 아무런 보수 안주셔도 돼요. 그냥 운영 도와드릴게요." 성진은 애리의 말을 듣자 마자 그건 아니라고 말했고 애리는 미소를 띠우며 말했다.

"제 꿈은 지금부터 2호점 내는게 아니에요. 이 해물찜 레시피를 대를 이어 쭈욱 물려주는거에요." 애리는 그동안 살면서 늘 빚을 지고 사는 기분이었는데 이렇게 성진을 만나게 되어 너무 잘 됐다고 생각하면서 앞으로의 날들이 기대가 되었다.

다음 날 애리는 오전엔 꼬모 해물찜에 나갔다가 점심 시간이 지나 3시쯤 송이 해물찜 가게로 향했다. 성진은 촬영이 없는 날이면 송이 해물찜 가게에 나와 일을 도왔다.

저녁 6시 무렵 꼬모 해물찜을 지나가던 한 손님은 전화를 걸었다.

"여기 해물찜 사람 꽉 찼어. 밖에 기다리는 손님도 여러명 보이고 말이야. 우리 오늘은 다른데서 식사하자구."

시간을 거슬러

어느 날, 편지 한 통이 날아왔다. 소은은 편지지를 가지고 집으로 들어왔다. 글씨체는 독특했고, 편지지는 평범한 모양새였다. 이 사람은 힘든 하루하루를 보내는 것 같았다. 편지엔 가끔 힘들다고 적혀 있었다. 소은은 이 남자에 대해 좀 더 궁금해졌다.

소은은 동네 서점에서 일한다. 책 정리와 판매 정도로 단순 작업에 불과했다. 소은은 일이 그다지 즐겁지도 싫지도 않았다. 오늘 아침에도 소은은 서점을 향했다. 다달이 들어오는 잡지와 시간을 알 수 있어서 좋았고, 시간이 들어오면 그 책을 먼저 사기도 했다. 학창 시절부터 책을 좋아했다. 성격은 내성적이었다. 나이는 21살이었다. 요즘 일상이 조금 답답했고 재미가 없었다. 그래도 이따금 날아오는 편지가 일상의 돌파구였다. 소은은 음악을 좋아했는데 가요, 팝 여러 장르를 섭렵했다. 소은이 좋아하는 음악은 건스 앤 로지스, 비틀스, 본 조비 등이었다. 국내 가수로는 그룹 넥스트를 좋아했다. 소은의 하루는 서점에서 일하고 집에 와서 음악을 듣거나 독서를 하며 마무리하는 일상이 반복이었다. 그래도 이 편지 친구는 음식에 꼭 필요한 소금 역할을 해주었다. 그리고 다른 삶을 살아보고 싶다는 생각을 돋구어 주었다.

소은과 편지를 주고받는 현민이는 고등학생이다. 소은은 현민을 23살로 알고 있다. 현민이는 할머니와 살고 있다. 부모님은 생활고에 시달리다가 이혼하고 집을 나갔다. 일상이 너무 힘들었다. 매일 라면만 먹다시피 했고, 가끔 정부에서 나오는 쌀로 겨우 밥을 먹을 수 있었다. 일상이 힘겨웠지만, 현민이는 소은의 편지글을 읽고 있으면 힘든 마음이 지워지는 듯 했다. 현민이는 소은을 꼭 한번 만나보고 싶단 생각을 하게 되었다. 하지만 형편이 어려워 차비 마련하기도 빠듯했다. 폐지를 주우러 다니는 할머니도 요즘 건강이 많이 안좋아졌다. 어렵게 모은 돈은 먹거리 사기에도 바빴다.

현민이가 소풍가는 날 할머니는 김밥 대신 채소 볶음밥을 해주었다. 현민이는 친구들과 같이 점심 먹는 시간이 기다려지지 않았다. 왠지 소외감이 느껴지고 나도 엄마가 있다면 김밥을 싸왔을 텐데라는 생각을 하게 되었다.

어느 날, 현민은 소은에게 편지를 썼다. '소은님, 저는 할머니와 둘이 살아요. 부모님은 생활고에 시달리다가 이혼하시고 집을 나가셨어요. 어렵게 생활고에 있어요. 할머니는 건강도 많이 안 좋아지셨어요.'

시간이 지나 여름방학이 되었다. 현민이는 소은의 편지를 읽다가 갑자기 밖으로 나갔다. 인근의 공사 현장으로 향했다. 현민이는 공사 현장에서 인상 좋아 보이는 아저씨에게 다가가 물었다. “아저씨 혹시 일손 필요하지 않으세요?” 아저씨는 농사 관리자에게 가서 물으라고 하며 손가락으로 저쪽 오른편에 서 있는 사람을 가리켰다. 현민이는 관리자에게 다가갔다. 관리자는 인상을 찌푸리고 있었지만 얼굴은 인자하게 보이는 사람이었다. 혹시 일손 필요하지 않냐고 묻자 관리자는 가능하다고 했다. 나이가 몇 살이냐고 묻자 현민이는 조금 당황하다가 20살이라고 말했다. 관리자는 이쪽으로 오라면서 일에 대해서 하나하나 설명해 주었다.

현민이는 집으로 돌아오는 길에 기분이 좋으면서도 속상했다. 공사 관리자가 현민이가 일이 너무 서툴다면서 돈 2만 원을 건제주고는 그냥 집으로 들어가라고 했기 때문이다.

현민이는 이 돈으로 소은을 만나러 갈 수는 있는데 집으로 올 땐 어떻게 올까 하고 고민이 되었다. 현민이는 방으로 들어가 저녁도 먹지 않은채 소은에게 줄 편지를 써 내려갔다. 한번 보러 가려고 한다고 하면서 집에 올 때 차비 좀 줄 수 있냐고 적었다.

소은은 어느 화요일 아침에 서점으로 나섰다. 아파트 1층 우편함에 봉투가 하나 꽂혀 있었다. 소은은 반가운 마음으로 봉투를 꺼내들었다. 현민의 편지였다. 소은은 천천히 걸으면서 편지를 읽어 내려갔다. 여기 올 수는 있는데 돌아갈 차비가 없다는 내용이었다. 소은은 지금 서점에서 일하고 있어서 충분히 차비 정도는 줄 수 있었다.

소은은 서점에서 일하는 내내 빨리 집에 가고 싶었다. 어서 편지를 써서 부치고 싶었기 때문이다. 소은은 집으로 오자마자 편지를 썼다. 갈 때 차비를 줄 수 있다고 썼다. 그리고 편지를 부쳤다. 소은은 조만간 현민을 볼 생각에 마음이 들떴다.

현민이는 소은의 편지를 받았다. 그리고 소은의 편지를 읽으면서 눈물을 글썽거렸다. 소은은 그 힘겨움도 시간이 흐르면 다 지나가고 좋은 일도 앞으로 많이 생길 거라고 위로해 주었다. 그나 저나 현민이는 조금 걱정이 들었다. 키가 163cm밖에 안 되는 자신을 소은이 어리게만 볼까 봐서였다.

현민이는 토요일 오전에 일어나자마자 초록색 반소매 티와 반바지를 입고 가방을 둘러메고 소은을 만나러 집을 나섰다. 소은이 사는 동네의 거리는 높은 건물들도 꽤 있었고 많은 사람이 지나다니고 있었다. 현민이는 도착하자마자 터미널 근방에 놓인 공중전화로 소은에게 전화를 걸었다. 소은은 전화를 받았다. 맑고 예쁜 목소리였다. 어디로 가냐고 묻자 소은은 약국 사거리에 있는 커피숍에 오라고 했다. 현민이는 전화를 끊고 조금 긴장한 마음으로 커피숍으로 향했다. 커피숍에 도착한 현민은 입구에 들어서자마자 소은이라고 짐작하기에 충분한 여자를 바라보았다. 현민은 조금 위축됐다. 슬그머니 그 여자에게 다가가서 말을 걸었다. 소은이냐고 묻자 여자는 그렇다고 하였고 현민은 맞은편 의자에 앉았다.

소은은 현민을 고등학생으로 의심하지는 않는 것 같았다. 현민은 조금 긴 머리카락을 뒤로 묶어서일까 하고 생각했다. 학교에서는 늘 짧게 자른 머리카락을 고수했다. 소은의 표정이 약간 일그러져 보였다. 소은은 10분쯤 지나자, 대뜸 볼일이 있어서 저녁때 다시 만나자면서 커피숍을 먼저 나가버렸다.

현민은 조금 불안해졌다. 소은이 자신이 생각했던것과는 달리 성격은 냉정해 보였고 저녁때 연락이 다시 올지도 의구심이 들었다. 현민은 커피값을 지불하고 밖으로 나왔다. 현민은 조금 걸었다. 근처에 바다가 있을텐데 라고 생각하면서 행인들에게 물어물어 바다로 갔다.

바다는 사거리에서 꽤 가까운 거리에 있었다. 현민은 바닷가 몽돌위에 앉아서 파도가 일렁이는걸 바라보며 한숨을 푹 쉬었다. 오지 말걸 괜히 왔다는 생각이 들었다. 그렇게 1시간이 넘도록 앉아있으니 배에서 꼬르륵 소리가 났다.

집에서 아침을 먹고 나서, 점심을 먹지 않고 오후 4시가 다 되도록 식사를 하지 않았다. 현민은 너무 배가 고파서 뭐 좀 먹어야겠다고 생각하고 다시 번화가 쪽으로 걸어갔다.

이윽고 어느 가게 앞에 멈춰 섰다. 분식 가게였다. 현민은 라면과 김밥을 주문했다. 식사가 나오자, 라면과 김밥을 아주 빨리 먹기 시작했다. 식사를 마치니까 오후 5시가 다 되어갔다. 아직도 저녁이 되려면 한 시간은 더 있어야 할 듯한데, 오늘따라 시간이 안 갔다.

현민은 분식 가게에서 나와, 거리를 다시 걷다가 남성복 가게 앞에 섰다. 들어가 볼까 말까 하면 잠시 망설였다. 자신에겐 옷을 살 돈은 없었고, 들어가서 구경은 하고 싶은데 주인이 자꾸 사라고 권하면 어떡하지라는 생각이 들었기 때문이다. 그래도 현민은 용기를 내어 가게 안으로 들어갔다. 주인이 “어서 오세요” 라고 인사하자 현민은 “그냥 구경 좀 하려고요” 라며 말끝을 흐렸다. 주인은 얼마

든지 구경하라면서 현민의 아래위를 훑어보더니, 한숨을 푹 쉬고는 계산대 의자에 걸터 앉았다.

현민은 옷들을 훑어 보다가 자신이 좋아하는 초록색의 옷을 유심히 보았다. 그리고 가격표를 보았다. 확인하고 고개를 푹 숙였다. 티 한 장에 4만 원이 넘다니, 자신은 이 옷을 살 돈은커녕 하루하루 끼니를 챙겨 먹는것도 힘겨웠다. 현민은 "잘 봤습니다"라고 짧게 인사하고 가게를 나왔다. 현민은 힘없이 터덜터덜 걷다가 공중전화 부스 앞에 섰다. 소은에게 전화를 걸었다. 벨은 계속 울리는데 소은은 좀처럼 전화를 받질 않았다. 현민은 현기증이 나는 것 같았다. 전화를 끊고 다시 한번 전화를 걸었다. 그래도 역시 소은은 전화를 받질 않았다. 현민은 소은과 연락이 안 되면 어떡하나 하는 생각이 들었다. 내려갈 차비도 없었다. 현민은 한산한 아파트 앞에 놓인 벤치에 앉아 한숨을 푹푹 쉬었다. 자존심도 상하고 자존감도 떨어지고 자신이 너무 싫다는 생각까지 했다. 그러나 한편으로 화도 났다. 서서히 눈가가 젖어 들었다. 현민은 다시 전화로 다가가 전화를 걸었다. 역시 소은은 전화를 받지 않았다.

현민은 친구에게 전화를 걸었다. 사정을 이야기했고, 친구는 돈이 없다고 미안하다면서 전화를 끊었다. 현민은 결국 할머니에게 전화를 걸었다. 통화가 연결되자 목이 잠겨 울먹임이 치밀어 오르는 걸 애써 참으며 이야길 했다. 할머니는 내일 아침에 은행 가서 네 통장으로 부쳐줄 테니 돈을 찾으라고 했다.

현민은 바다로 향했다. 저녁 7시 무렵의 바다엔 사람들이 꽤 있었다. 현민은 조금 걷다가 벤치에 앉았다. 그리고 일렁이는 바다를 물끄러미 바라보며 두 가지 결심을 했다. 꼭 성공하리라고. 그래서 소은이 자신을 꼭 좋아하게 만들 거라고.

현민은 집으로 돌아온 후 할머니에게 죄송하다고 몇 번이나 말씀을 드렸다. 할머니가 만일을 대비해 비상금으로 조금 모아 둔 돈을 현민에게 보내준 것이다. 현민이는 할머니를 꼭 안으면서 말했다. 할머니 오래오래 사세요. 할머니는 갑자기 왜 그러냐며 미소를 지었다.

현민이는 방학 동안 이런저런 생각을 많이 했다. 한 가지 생각이 머릿속을 스쳐 지나갔다. 그건 바로 가수였다. 가수로 성공하면 많은 돈도 벌 수 있고 인기도 얻을 수 있었다. 현민은 여러 가수의 음악을 듣고 따라 부르기 시작했다. 팝송, 가요 가리지 않고 댄스, 랩, 발라드 장르 불문하고 노래가 좋으면 다 불러보았다.

할머니는 갑자기 집에서 왜 그렇게 노래를 부르냐고 이야기했다. 현민이는 할머니 말엔 아랑곳하지 않고 시간이 되면 매일 빠짐없이 노래를 불렀다.

“자 인기가요 1위 곡은 케이스타의 너의 곁에서입니다” 현민은 발표가 나자마자 어리둥절했고 깜짝 놀라면서 트로피를 받아들었다. 트로피를 받고 전주가 흘러나오자 눈가가 젖어 시야가 흐려졌다. 현민은 울먹이며 노래를 끝까지 부르고 무대를 내려왔다. 현민은 팬들이 손을 흔들며 꺅꺅 질러대는 목소리를 뒤로하고 방송국을 나왔다. 고등학교를 졸업하고 10년 동안 가수가 되기위해 많은 여정이 있었고 고생도 많았다. 비록 시간은 오래 걸렸지만 결국 해낸 것이다. 현민은 1집 앨범 주제곡이 가요 프로그램에서 1위를 하고 나자 정신없이 바빠졌다.

소은은 결혼 후 육아에 전념 중이다. 돈으로도 바꿀 수 없는 그 행복이 소중하게 느껴졌다. 소은은 오롯이 아이에게만 집중하면서 일상을 보냈다. 그렇게 시간을 보내면서 소은은 육아 스트레스를 라디오를 들으면서 풀었다. 요즘 유일하게 힐링이 되는 것은 라디오를 들으며 휴대전화에 깔아 놓은 라디오 앱에서 채팅하는 것이었다. 이때 케이스타라는 이름으로 알려진 가수가 라디오 진행을 맡고 있었다. 소은은 라디오 홈페이지에 올라온 케이스타의 얼굴을 보면서도 전혀 현민이라는 것을 모른 채 라디오를 들으며 소통했다. 현민은 이름을 보고 한눈에 자신이 아는 소은일 거라고 생각했다. 소은이 여러 번 현민이 진행하는 프로에 사연을 썼는데 내용을 보면서 사연의 주인공이 분명 소은일 거라고 확신했다. '그래 누나는 날 다시 보면 계속 찾을 것이고 날 좋아하게 될 거야'라고 현민은 생각했다. 그렇게 한 달인가 채팅창에 보이더니 어느 날 소은은 채팅방에도 홈페이지 게시판에도 나타나지 않았다. 그렇게 서로 특별한 일이 일어나지 않은 채 시간은 계속 흘러갔다. 소은은 라디오가 일상에 힐링을 주곤 했지만, 계속 라디오를 듣진 않았다. 요즘은 시간이 나면 텔레비전 드라마를 봤다. 소은은 그래도 아주 가끔 케이스타라는 가수를 인터넷에 검색하곤 했다. 그렇게 시간은 흐르고 가끔 궁금했던 케이스타의 소식도 바쁜 일상 속에 젖어 잊고 지냈다.

시간은 흘러갔다. 현민은 하루도 빠짐없이 일했다. 현민은 바쁜 일상으로 밤에 집에 들어오면

늘 녹초가 되었다. 그렇지만 얼마 전에 시작한 인스타그램 SNS 덕분에 요즘 즐거웠다. 팬들의 반응도 느낄 수 있어서 좋았다. 그리고 여러 정치인, 방송인부터 시작해서 일반인들까지 다른 사람의 삶을 엿보는 재미가 있었다.

어느 날 밤, 현민은 일을 마치고 집에 들어와 누워 있다가 휴대전화를 열어 인스타그램에 들어갔다. 그러다가 자신의 이름에 태그를 걸고 케이스타 음악 듣는 중이라는 내용과 함께 사진 한 장을 올린 팬이 있었다. 그 피드를 타고 그 팬의 계정에 들어가 보았다. 피드 사진들을 훑어보는 순간 조금 놀라기도 했고 반갑기도 했다. 바로 소은이었기 때문이다. 현민은 찬찬히 사진들과 글들을 훑어보았다. 가까운 일본을 다녀오기도 한 소은은 일상이 평범해 보였지만 행복해 보였다. 현민은 소은이 자신을 좋아하게 만들어야겠다고 또 생각했다. 소은 때문에 가수가 되고 성공했다. 시간이 너무 많이 흘렀지만, 소은의 마음을 갖는 것 그것이 최종 목표였다. 어쩌면 시간이 너무 많이 흘러서 의미가 없을 수도 있지만 현민은 어린 시절 가지지 못했던 그것을 지금이라도 너무 갖고 싶었다.

소은은 내가 현민이라는걸 알고 있을까? 현민은 회사에 다음 주에 일주일은 쉬어야겠다고 이야기했다. 현민은 일본어에 능통한 남

동생과 함께 일본 여행을 계획했다. 소은이 간 일본의 같은 장소로 목적지를 정했다. 일본에서의 여정은 아주 즐겁게 끝났고, 거기서 찍은 사진들을 며칠 후 자신의 인스타그램 피드에 올렸다.

소은에게서 반응이 왔다. 여지 자신도 다녀왔는데 너무 좋지 않으냐는 댓글이었다. 현민은 피식 웃었다. 조금씩 소은과의 소통이 시작됐고, 소은은 조금씩 현민에게 말을 걸기 시작했다. 어느 날 현민에게로 편지 한통이 왔다. 현민은 회사 대기실에서 편지를 뜯어 읽어보았다. 소은이 쓴 편지였다. 소은은 자신의 이야기를 시작으로 현민을 너무 좋아한다고 했다. 내용상으론 케이스타가 고등학생 때 만났던 현민이라는걸 모르는 것 같았다. 그 이후로도 한 달에 두 번 정도 편지가 계속 왔다.

어느 날 현민이는 편지를 읽다가 눈가가 살짝 젖었다. 소은은 예전에 편지 주고 받았던 사람과 케이스타가 사인할 때 쓰는 글씨체랑 너무 비슷하다고 했다. 현민과 오래전부터 함께 한 듯한 기분이 든다는 것이다. 소은은 현민이 그때 만났던 남자가 가수 케이스타가 아닐 거라고 생각을 했다. 얼굴도 많이 달라져 있었고 너무 오래전 만남이라 그때 그 어린 현민의 모습이 확실하게 잘 떠오르진 않았기 때문이다. 그냥 케이스타라는 가수와 소통을 하고 있다는 행복감에 젖어든 소은은 하루하루 케이스타에게 편지를 쓰거나 선물을 보냈다. 그리고 영상 편지나 케이스타의 노래를 불러 자신의 피드에 올리곤 했다.

소은은 한 달 뒤에 이사를 하게 되어 집안 정리를 하느라 바빴다. 그러던 어느 날, 소은은 책장에서 앨범을 꺼내서 사진을 정리하다가 앨범 뒤에 꽂혀 있는 봉투 여러 개를 발견했다. 소은은 봉투 속에 담겨 있는 내용물을 보고 깜짝 놀랐다. 바로 현민의 편지였다. 그리고 또 한 번 놀랐다. 현민의 글씨체가 케이스타라는 가수가 가끔 팬들에게 보내는 친필 메시지와 너무나도 똑같았기 때문이다. 소은은 케이스타의 얼굴이 그때의 모습과는 많이 달라져 있어서 눈치를 못 챘었는데 그러고 보니 그때의 느낌이 조금은 남아 있는 것 같기도 했다. 현민이 자신을 알고 있는데도 소통을 한 이유를 알 수가 없었다. 현민과의 관계를 정리해야겠다고 생각했다. 팬클럽을 탈퇴하고 가입된 SNS도 다 탈퇴를 해버렸다.

현민은 자신에게 한 달에 두 번 이상 오는 선물과 편지들을 받아 보면서 조금 부담되기도 했지만, 많이 행복했다. 소은의 편지를 읽고 있으면 긍정적 에너지가 샘솟았다. 이렇게 현민과 소은은 2년 동안 소통을 했다. 그러던 어느날, 현민에게로 택배 박스가 하나 도착했다. 소은에게서 온 택배 상자였다.

며칠 전 소은이 팬클럽을 탈퇴한 터라 택배 상자가 더 반갑게 느껴졌다. '그래, 아직 날 떠나지 않았어'라고 생각하면서 택배 상자를 열자마자 현민은 한쪽 마음이 무너져 내리는 것 같았다. 상자 안에는 자신의 굿즈들과 사진, 엽서등이 들어 있었다. 이제 소통을 끝내자는 의미로밖에 생각이 들지 않았다. 속상했다. 그냥 이렇게 오래오래 서로 소통하면 안될까 라는 생각도 들면서, 그래 시작이 있으면 끝도 있다고 체념했다. 현민은 상자를 책상 밑에다 던지듯이 내려놓고는 얼음물이 벌컥벌컥 마셨다. 소은은 그 뒤로 한 달이 지나도록 편지도 선물도 보내지 않았다. 세상이 멈춘 것 같았다.

현민은 하루하루 시간이 안 가도 너무 안 간다고 생각했다. 혹시나 편지가 올까 혹시나 SNS 메시지가 올까 기다렸다. 하지만 오지 않았다. 며칠 뒤 현민은 노래를 하나 녹음했다. 김광진의 편지라는 노래였다. '여기까지가 끝인가 보오. 이제 나는 돌아서겠소. 억지 노력으로 인연을 거슬러 괴롭히지는 않겠소. 하고 싶은 말 하려 했던 말 이대로 다 남겨 두고서' 감정에 슬픔을 너무 이입하려 하지 않으려고 애쓰며 노래를 부르기 시작했다. 노래를 녹음하는 내내 눈물이 두 볼을 타고 하염없이 흘러 내렸다. 현민은 이 노래가 마지막이 될지도 모른다고 생각하면서 집으로 왔다. 현민은 책상 의자에 걸터앉아 노트에 글을 적어 내려가기 시작했다.

'소은 님 고등학생 때 커피숍에서 처음 만난 날 나는 사랑에 빠진 것 같아요. 소은 님의 마음을 꼭 얻고 싶었어요. 그게 언제든 늦더라도 꼭 소은님이 날 좋아하게 만들고 싶었어요. 내가 연예인이 된 이후로 한 번도 여기 함께 일하는 여자 동료들에게 마음을 줄 수가 없었어요. 솔직히 고백하자면 난 다시 만난다는 생각으로 달려왔던 것 같아요. 소은 님이 내게 다가오던 날 너무 기쁘고 좋아서 그날 밤을 꼬박 새운 거 같아요. 늘 얘기하고 싶었어요. 소은님을 많이 좋아했었고 지금도 많이 좋아해요. 가수가 된 이후로 쉽게 소은 님에게 내 마음을 전할 기회가 없었던 것 같아요. 그렇지만 나와 SNS에서 소통하면서 내 마음이 조금이나마 전해지길 바랐어요. 이대로 내 마음을 전하지 못한 채로.' 현민은 글을 써내려 가다가 멈추고 고개를 떨구었다.

소은은 라디오를 듣다가 우연히 케이스타가 부른 편지라는 노래를 듣게 되었다. 소은은 노래에 귀를 기울이면서 차 한잔을 마셨다. 그리고 마지막 편지를 써 내려갔다.

'현민님, 그때 나의 철없던 행동으로 속상하고 상처라면 상처도 있었을 텐데 이렇게 멋진 모습으로 내 앞에 나타나 줘서 고마워요. 처음엔 케이스타라는 가수가 현민 님이라는 걸 몰랐지만 얼마전에 알 수 있었어요. 미안한 마음도 많이 들었어요. 내가 아주 밉고 화도 많이 났을 텐데 나랑 왜 소통을 했는지 이해가 잘 안 가요. 나 같았으면 많이 미워하고 상처를 줬을텐데 말이죠. 2년 정도 소통하면서 너무 행복했어요. 정말 많이 현민님을 좋아한 것 같아요. 요즘 느끼는 것은 사람은 겉보단 속을 들여다 보고 마음을 봐야 한다는 것을 느꼈어요. 이렇게 마음 따뜻한 현민님이란 걸 어린 나이에 저는 볼 수가 없었네요. 현민 님은 외모도 마음도 정말 너무 멋지게 변하신 것 같아요. 우리 이대로 마음속으로나마 서로 응원하며 각자의 삶에 더 충실하기로 해요. 현민 님도 결혼도 하고 아이도 낳고 평범한 삶도 누리면서 사셔요. 과거에 얽매일 필요가 없는 것 같아요. 현재가 중요한 것 같아요. 현재를 충실하게 살다 보면 늘 행복으로 충만해져 있을 거예요. 그냥 잠시 소통을 멈추는 거라고 생각해요. 나중에 우리 좀 더 서로의 삶에 충실하게 지내고 있을 때 그때 우리 다시 만나요. 현민님 그럼 이쯤에서 줄일게요. 늘 행복과 기쁨이 함께하길 바라요. 잘 지내요.' 소은은 마지막일지도 모를 편지를 쓰면서 두 볼을 타고 내려오는 눈물을 멈출 수가 없었다.

며칠 뒤, 현민은 소은의 편지를 받고 마음이 무거워졌다. 그리고 새 앨범을 준비 중이었는데, 소은에게 자신의 노래로 마음을 꼭 전하고 싶어졌다. 현민은 직접 작사, 작곡한 곡을 하나 만들어야겠다고 생각하고 곡 노래를 만들기 시작했다. 일주일 정도가 지났을 즈음 드디어 노래가 완성되었다. 가사는 이러했다.

'그댈 처음 만난 순간 마음을 빼앗기고, 그대는 날 본 순간 나를 떠났네요. 그댈 다시 만나기 위해 노래했어요. 그대를 또 만나면 그땐 그대 마음을 가지겠어요. 그대는 날 다시 본 순간 내게 왔어요. 사랑해요. 이대로 영원히 함께 나아갈 수만 있다면' 이런 가사였다. 멜로디는 감미롭고 슬펐다. 현민이는 녹음을 마치고 나서 이번 앨범을 꼭 소은이 들어봤으면 하고 바랐다.

2주 뒤, 소은은 집에 음악 앨범들이 너무 많아서 중고로 팔기 위해 앨범들을 상자에 담았다. 요즘 미니멀 라이프라고 단순하게 집을 정돈하고 사는 게 유행이었다. 소은은 유행을 따라 하는건 아니었지만, 집에 물건들이 너무 많은 것 같아서 이번에 많이 정리하는 중이었다. 소은은 박스를 차에 싣고, 서점에 도착했다. 서점엔 책도 팔고 음악 CD도 팔았다. 그리고 중고도 사고 팔았다. 소은은 책을 팔고, 서점을 둘러보았다. 그러다 우연히 현민의 신곡이 흘러나왔다. 소은은 자신도 모르게 노래에 귀를 기울이고 가사를 음미했다. 노래가 끝나자, 카운터로 향했다. "혹시 케이스타 새 앨범 나왔나요?"

소은이 묻자 직원은 미소를 지으며 케이스타의 새 앨범을 찾아 주었다. 소은은 빨리 집으로 가서 노래를 다시 듣고 싶었다. 소은은 집에 도착하자마자 앨범 포장을 벗기고 시디를 플레이어에 넣었다. 그리고 가사집에 적혀 있는 아까 들을듯한 그노래 가사를 찾았다. 제목은 '사랑하는 마음' 이었다. 소은은 플레이어에 노래 순서를 넘겨 사랑하는 마음을 틀었다. '그대 처음 만난 순간 난 마음을 빼앗기고, 그대는 날 본 순간 나를 떠났네요' 이렇게 시작하는 가사는 소은과의 첫 만남을 이야기하는 것 같았다.

소은은 이 앨범에 관한 현민의 이야기가 듣고 싶어졌다. 소은은 이날 현민이 라디오 방송에 나온다는 소식을 접하게 되었다. 소은은 모래 나올 현민의 라디오 스케줄이 기다려졌다. 왜냐하면 '나의 첫사랑'이란 라디오 코너였기 때문이다.

이틀 뒤 현민이 라디오에 나왔다. 소은은 라디오에 귀를 기울였다. 타이틀 곡인 사랑하는 마음이란 노래에 대해서 디제이가 이야기를 시작했다. 이 노래를 직접 작사 작곡 하셨다던데 혹시 경험담을 쓰신 거냐고 묻자, 현민은 맞다고 했다. 자신이 집안 형편이 힘들 때 편지를 주고 받던 여자가 있었는데 그분을 처음 본 순간 좋아하게 됐다고 하면서 소은과의 스토리를 줄줄 이야기 해나갔다. 소은은 이야기가 끝나자, 현민의 마음을 이해 할 수 있었다. 소은은 눈시울이 뜨거워졌다. 그리고 행복, 미안함, 기쁨들의 여러 감정이 교차했다.

'현민 님 나도 현민 님을 많이 좋아해요'

현민은 소은에게서 며칠째 아무런 소식이 없자, 소은을 한번 만나봐야겠다고 생각했다. 현민은 받았던 편지 상자를 뒤적였다. 편지 중에 집주소가 적힌 편지가 있었는데라고 생각하며 한 장 한 장 훑어 보았다. 그러다 주소가 적힌 봉투가 시선을 사로 잡았다.

직접 자가용을 몰고 골목길을 들어가 어느 단층 주택앞에 도착했다. 바로 앞에 차를 세우지 않고 5미터 정도 떨어진 곳에 차를 주차했다. 저집이 맞는 것 같은데 한시간이 지나도록 소은의 모습은 보이지 않았다. 시간은 오후 5시가 다 되어 갔다. 거리는 조용했지만 이따금 한 두사람이 지나다니고 있었다. 순간 현민은 다시 한번 대문 앞을 주시했다. 누군가가 밖을 나오고 있었다. 분명 소은이었다. 현민은 마스크와 선글라스를 쓰고 빠른 걸음으로 소은에게 다가갔다. 소은은 현민을 스치듯이 한번 보는 듯 하더니 이내 반대방향으로 걸어갔다.

현민은 계속 뒤따라 갔다. 그리고 소은에게 가까워 지자, 현민은 헛기침을 한번 하고는 "저기 소은님"이라고 불렀다. 소은은 반응없이 계속 걸었다. 현민은 조금 더 큰소리도 다시 불렀다."저기 소은님" 한번 더 부르자 소은이 놀란 눈을 하고 뒤를 쳐다봤다. "아니 여길 어떻게 왔어요?" 갑자기 학생 두명이 "어머 케이스타 아니야?" 라며 사진을 찍었다. 현민은 무척 당황하더니 지갑에서 명함을 하나 꺼냈다. 소은에게 명함을 건넸다. 소은은 학생들이 있어서 얼른 상황을 피해야 겠단 생각에 명함을 받아 들고는 다시 혼자서

막 걸어갔다. 현민도 학생들이 불편했는지 빠른 걸음으로 자동차로 향했다.

다음날 아침, 소속사에서는 현민에게 전화를 여러번 걸었다. 현민은 어젯밤에 마신 술 때문인지 아침에 일어나기가 버거웠다. 그리고 또 전화가 걸려올 때 현민이 전화를 받았다.

"여보세요?" 소속사 사장은 "현민씨 기사봤어? 인터넷이고 신문이고 난리났어. 지금 이게 무슨일인지 설명 좀 해봐" 현민은 사무실 가서 이야기 하자고 말하고는 일단 전화를 끊었다.

현민은 휴대폰으로 인터넷 뉴스를 보고는 깜짝 놀랐다. 어제 소은에게 명함을 건네던 사진과 함께 현민 일반인과 열애중이란 제목으로 곳곳의 사이트마다 올라와 있었다.

현민은 한숨부터 나왔다. 댓글에는 왜 하필 유부녀냐,부터 시작해서 곱지 않은 댓글이 많이 달려 있었다.

점심 무렵에 현민은 소속사에 도착했다. 소속사 사장은 당분간 쉬는게 좋겠다고 말했다. 현민은 그동안 고민을 많이 했었다. 소은을 다시 만나고부터는 이 가수 생활도 나에게 중요할까라는 의문을 계속 던진 것이다. 현민은 사장에게 "저 은퇴하겠습니다. 그냥 이제 평범하게 살고 싶어졌어요." 사장은 말렸다. 그러지 말라고 했지만 끝내 본인의 의사를 밝힌 현민은 짐을 싸고는 집으로 향했다.

며칠 후, 소은은 뉴스를 보고는 현민에게 너무 미안해졌다. 본인 때문에 은퇴를 한 것 같아서였다. 소은은 명함만 만지작거렸다. 소은은 한참을 망설이다가 전화를 걸었다. "여보세요"현민의 목소리는 예상과는 달리 밝아보였다. “현민님, 미안해요 나 때문에…” 현민은 소은의 말을 다 듣기도 전에 “소은님, 저 서점 인수했어요. 3일 후부터 제가 나가기로 했으니까 다음주에 시간되면 놀러오세요” 이렇게 말하는 현민은 우울해 보이기는커녕 즐거워 보였다. 소은은 전화를 끊고 고민에 잠겼다. ‘나 이래도 되는 걸까’

일주일 후에 소은은 아침에 옷장에서 옷을 꺼내 여러 벌을 입어보았다. 그러다 초록색 원피스에 시선이 갔다. 갑자기 처음에 만났던 현민의 모습이 떠올랐다. 초록색 티를 입고 왔던 기억이 나면서 자신도 모르게 초록색 원피스를 꺼내 입었다.

스마일 smile

누워서 뒹굴뒹굴
사진 하나 사진 둘
사진 셋 얼굴 들여다보며
미소를 지어요

그대는 뭐하고 있을까
하루하루 각자의 바쁜
일상속에 그대의 목소리를 들어요
미소를 지어요

분홍색 접시에 담긴
음식을 보며
행복을 느껴요
삶의 활력소지요
미소를 지어요

스마일 티셔츠
스마일 컵
스마일 그대 얼굴 보며
미소를 지어요

국밥

이른 아침에
국밥 먹으러
버스를 타네

손님이 없는 조용한
식당에 나혼자 자리를 잡아
순대국밥 한그릇

소주한잔 곁들여
캬 세상에서
내가 제일 행복한 사람

함께 할 이 있다면
국밥과 소주 마시며
도란도란 이야기 나누고 싶네

혼밥도 행복해
언젠가 함께 할 이 있다면
함께 국밥과 소주 한잔하고 싶네

함께 해요

나혼자 세상에 남겨진 느낌
방황하고 있을 때
네가 함께 해줬으면 좋겠어

그대 내게 올지 안올지
몰랐지만 기다리고 있었어
어느날 그대 내게
손을 내밀어 주네
내 입가에 미소가 흐르네

함께 손을 잡고
먼 바다로 항해하네
세찬 바람에도 끄덕 없어

그대의 눈동자 미소에
마음은 녹아내리고
그대의 이야기에 귀기울여
오늘도 안식처를 주네

함께 해줘서 감사해

이젠 우리

많이 엇갈렸네요
그대 내게 오기까지 시간이 걸렸죠
서로의 끈을 쉽게 끊을수가 없죠

우리 눈물도 흘렸어요
서로 다른곳을 바라 보았죠
서로 바라보며 이야길 하죠
우린 이제 놓치지 말아요

한시도 그댈 내버려 둘수가 없죠
그대 다른곳을 바라볼까봐
항상 그대 주위를 맴돌죠

나만 바라보길 바라는 마음
내손만 잡아주길 바라는 마음
내 큰 욕심인가요

그대 이제 나만 보아요
우린 이제 서로의 마음을 알죠
이대로 이젠 우리 영원히 함께 해요

아침의 움직임

걷는다. 하늘을 본다
속삭인다
말을 건넨다
예쁜 양떼 구름
그대에게 보낸다

오늘 하루도 하늘을 보며
시작한다
그대에게 달려간다
속삭인다
오늘도 파이팅 하세요

나의 이야기들이
그대에게 힘이 되기를
오늘 하루도 하늘을 보며
시작한다

파란 하늘 양떼 구름이
그대를 닮았다

노래

따뜻한 봄날
달콤한 바람
따뜻한 햇살
그대 두눈 감고
이름을 부르네

부드러운 목소리
달콤한 미소
따뜻한 마음
두손 꼬옥 잡고
걷고 싶네

예쁜 꽃길을 걸으며
긴장한 목소리로 속삭이네
흘깃 한번 쳐다보며
걸어가네
그대 두눈 마주쳤네

예쁜 두손 꼬옥 잡고
함께 걷고 싶네

눈물

처음으로 체념하고
마음이 갈팡질팡 하던날
눈에 고인 눈물
심장이 쿵하고 발버둥 치네

하늘은 아파 보여요
그대 눈물 닦아주고 싶네
오해로 상처받고 엇갈리던 순간들
이젠 한길로 함께 걸어요

눈에 고인 눈물
머릿속에 돌고돌아
심장이 아프다 하네

처음 본 눈물
마음 속에 비가 내려요
이 공기를 놓칠 수가 없어

곁에서 오래도록 남고 싶어요
함께 해줘서 눈물 나도록 고마워

소중한 그대에게

분홍빛 입술
소중한 한마디 한마디
그대의 이야기를 듣고 있으면
심장이 벅차 올라

소박한 얘기들
솔직한 한마디 한마디
난 그대의 이야기를 듣고 있으면
모든 얘기가 내것 같아

난 그대의 모든 것이 좋아
처음엔 좋은 사람이라 좋았는데
지금은 그대의 능력마저도
매료되어요

참 소중한 그대
내 곁에 영원히 머물러
우리 오래오래 함께 해요

잠이 온다

점심 먹고 나면
졸음이 확 몰려와
커리를 마셔도 졸려
그냥 집에 창문 열고
대자로 뻗고 싶네

시원한 바람 솔솔 불어와
그냥 누워서 잠만 자고 싶네
양 한 마리
양 두 마리
양 세 마리
졸린다. 잠이 온다. 자고 싶다

일주일 잠만 자면 좋겠네
뱀 한 마리
뱀 두 마리
뱀 세 마리
겨울잠 자고 싶네
빨리 겨울이 왔으면….

그대의 마음

어딘가 바라보는 그대의
반짝거리는 두 눈
청명한 보석 같아

내 두손 위에 올려
한참을 바라보곤 해

슬픈 것 같은 그대의
까만 눈동자
무슨 마음일까 애써
읽어 보려해도 알 수 없는
그대의 속마음

가끔은 눈웃음 치며
누군가를 바라보는
그대와 마주하고 싶네

그대의 두눈 온전히
내 두손위에 올려
하루종일 함께 하고 싶어
그대 마음을 알고 싶네

어느 봄 날

석양이 지던 저녁 무렵
많은 사람들이
그대를 만나려고 하나둘
앉아 있네

그대의 목소리가
내 귓가에 맴돌아
내 마음속 추억을
꺼내보던 밤

그대 얼굴 스쳐 지나가던 찰나
행복을 느끼고 조금만 더
그대 얼굴 바라보고 싶어
한번 돌아보던 그대 얼굴
붙잡고 싶지만 이제는 가야 할 시간

그대와 함께
이밤을 지새고 싶지만
난 아쉬움을 달래며
손을 흔들며 자리를 떠나가네

핑크빛 종이 하트가
하늘에서 내려오던 밤
내 두눈엔 반짝거리는
보석이 쏟아져 내렸지

따뜻한 마음

어둠 속에서
갈팡질팡 정신을 못차릴 때
그대는 나를 안아주었지

그대의 빛은 내 온몸을 비춘다
그 빛속으로 나도 모르게 빠져든다
어느새 따뜻한 햇살처럼
웃고 있네

따뜻하다 녹아든다
내 속에 그대를 품는다
그대의 입가에 미소
너무 아름답다 예쁘다

내 마음은 녹는다
따뜻하다 행복하다
젖는다 너의 모든 것에
빠져든다 이대로 시간이
멈췄으면 좋겠다

파라다이스

그대를 위해 입고 간 보라 원피스
그대가 좋아하는 츄러스
그대와 내가 있는 이곳은 파라다이스

그대의 환한 웃음은
반짝거리고
내 두볼은 빨간 사과같아

그대 길고 큰 두손은
너무 예쁘고
내 입가엔 반달 웃음이 나

그대의 유머스런 농담도
하얀 웃음이 되어 흩어지고
그대의 사랑스런 웃음은
내 볼에 홍조를 띄게 해

노을이 예뻐

그댈 볼 생각에
마음이 들떠 있던 시간들

시간은 점점 어둠으로 기울어 가고
해는 뉘엿뉘엿 아래로 아래로 숨네
붉은 양떼 구름들이 어둠속에
조금씩 감춰지고
붉은 노을이 내 마음을 비추면
마음이 너무 따뜻해져요

그대 얼굴 볼 생각에
설레이는 시간
그대의 노랫소리에
내 마음이 울리던 시간

내 기억속에 아름답게 지던
석양이 내 마음을 비추네
그대 맘속에도 예쁜 하늘이
스며들길….

그대의 온도

꽁꽁 언 손
내 손으로 꼭 잡아
온기를 주고 싶네

입으로 호호 불면
따뜻해질까
따뜻한 장작 난로 앞에
손대면 따뜻해질까

그대에게 따뜻한 보리차
한잔 끓여주고 싶네
그대 몸 녹여줄까
그대 목 녹여줄까

그대의 온도는 36.5도
그대의 마음은 365도
마음이 너무 뜨겁다
내 마음도 너무 뜨겁다
우리의 심장은 불타오르네

춤

뱀이 꿈틀대듯
눈부신 웨이브

섹시한 멋
난 한송이 장미가 되어
그에게 향기를 준다

그대의 귀여운
장난 가득한 미소
나의 입가도 밝아지네

그대의 까슬거리는 목소리는
내 귓가에 맴돌고
그대의 웨이브는
날 미소짓게 하네

그대의 입술

너무 보고싶은 입술
그대 입술 쥐어 뜯으며
바라보네
그대 모습 바라보면 내 마음이
아파오네

적당히 도톰하고 분홍빛을 띄는
너무 사랑스럽 입술
보고 싶어도 보고 싶어도
볼수 없네

그대 마음 다쳤을까
그대 슬픔 아팠을까
걱정스런 눈빛으로
바라보네

아프지 마라
아프지 마라
내 마음은 오직
그대 밖에 없어

광어회

생선살을 살살 도려 발라
예쁜 접시에 담아
탁자위에 올려 놓네

상추위에 회를 쌈장에 찍어
올려서 마늘도 올려
쌈을 입안에 넣으면
내 마음은 하늘 위에서 붕붕
소주도 한잔 걸치면
이 세상은 다 내것

간재미 무침, 멍게살, 소라는
광어회 친구들
함께 하면 더할나위 없네

오늘도 난 수산물 가게에
혼자 앉아 낮술을 하네
이 세상은 다 내것

여린 마음

술한잔 기울이며 고민하는 밤
그대의 밤은 가냘픈 피리 소리와
같습니다.
얘기를 걸며 다가가고 싶어도
못하는 그대
현실을 알고 있어도 투정만 하는 나는
부족한 사람입니다.
그대의 마음을 톡 건드려
잠을 이루지 못하게 만드는 나는
여전히 부족한 사람입니다.
나의 한시간 눈물과 그대의 30분 고민은
그 마음이 같습니다.
내가 다가가서 손을 내밀 수밖에 없지요
그래도 연결고리가 있다는 것
우린 나누고 있다는 것에 큰 의미가 있습니다.
그대의 마음을 즐거움과 행복으로
가득하게 채워 주려 합니다.
그대의 마음이 강해지기를

곰과 하브

곰돌아
종소리가 들려도
도망가지 말아라
어깨를 쫙 펴고
씩씩하게 걸어

하브야
너의 독을 나쁜 사람들에게
뿜어주렴 예쁜 세상
만들어 보자

사슴, 새, 양, 뱀, 곤충,
원숭이, 돼지가 가득한 나라로
만들어 보자

벚꽃, 라벤더, 장미, 해바라기 꽃이
가득한 세상을 만들어 보자
단풍잎이 가득한 풍경을 바라보자

하브:반시뱀

벚꽃 피는 봄날에

피아노 선율에 맞춰
그대의 노래는
내 마음을 다독여 주듯
저린 마음을 녹여
내 입가에 미소 짓게 하네요

긴시간 동안 웃음을 주는
그대는 내 인생의 친구
나의 노래를 들어주고
노래로 답을 주는 그댄
best friend

객석에 앉은 사람들의 환호와
웃음소리 그리고 노래
그대를 닮아 따뜻한 온기가
느껴져요

그대의 호소력 짙은 노래는
내 귓가에 돌고 돌아
내 마음 깊은 곳에 자리 잡아요
따뜻한 봄이 느껴져요

도서관

햇살 내리쬐는 어느 봄날
한참을 걸어 도착한
건물 3층

커다란 책장들 사이사이
책들이 가득하게 꽂혀 있고
난 틈틈을 걸어
책들의 제목들을 읽어보네

눈에 띄는 기욤 뮈소의 파리의 아파트
창문으로 햇살 들어오는 초록 책상
책들을 책상위에 올려
첫 페이지를 펼치네

글자가 가득한 종이에서
눈을 뗄수가 없어
창문에 들어오는 햇살이
내 이마를 비추고 해는 점점
모습을 감추고
오늘은 또 이렇게 하루가 가고 있어

콘트라 베이스

색깔별 병이 가득한
냉장고에서 골라낸 너의 존재
달지 않고 깔끔한 맛이
내 혀에 돌면 졸음이
확 달아나네

예쁜 몸을 가진
플라스틱 통안엔
500ml의 갈색 액체
잘 흔들어 마시면
잠이 확 달아나네

너의 그 촉촉하고 자극적이지
않은 액체는 내 마음을
즐겁게 해
머릿속이 깨끗하게 정리돼
힐링 속에 머물게 돼

보랏빛 우주

저 머나먼 곳 우주
그곳엔 그대가 있나요
손가락으로 입술을 만지며
의자에 앉아 있지요

저 머나먼 곳 행성
그곳엔 그대의 우주선이 있나요
우주선 안에 놓여진
우주용 휴대폰
휴대폰 안엔 앤야 사진이
가득하네요

그대는 앤야가 오기를 기다려요
주홍빛 비타민 음료
핑크 베이컨이 들어간 샌드위치
보랏빛 우주를 바라보며 먹어요

그댄 다시 지구로 돌아갈
생각은 없어요
앤야가 반드시 이 행성에
올테니까요

낙지 볶음

콩나물 가득
양파, 소세지, 베이컨 가득
열심히 익혀 주어요

낙지 볶음 한접시
팬에 부어 섞어주면
빨갛게 익어요

매콤한 낙지 한점
입안에 넣으면 쫄깃쫄깃
너무 맛있죠

베이컨, 소세지 차례로
입안에 넣으면 적당한 소금간이
입안에 퍼져요

소주와 함께라면
얼마나 좋을까
막걸리와 함께라면
삶에 더 이상 바랄게 없죠

내 마음 장미 꽃 한송이

내 마음 가득담아
그대에게 보내는
빨간 장미 꽃 한송이

그대 두눈 행복할까
웃고 있을까
무슨 생각 할까

나혼자 상상하다가
책상위에 놓여진
장미 꽃 향기를 맡는다

그대의 예쁜 마음처럼
내 마음 가득 담은
내 향기를 보낸다

거리에서

앙상한 가지나무
차가운 바람에 흔들리고
나는 지도를 보며
걷고 있었네

“빨리 타”
이 목소리에 돌아보네
내 옆엔 자동차 한 대
나에게 하는 얘기가 아니구나

그대의 발자국 따라
걷던 길
그대가 남긴 옷자락

나를 멀리서 바라보고 있었을
그대의 모습
뒤돌아보며 놀란 나의 눈동자

보이지 않지만 분명 날 바라보고
있는 그대
내 입가엔 환한 미소만 가득하네